牧野 礼
絵：七原しえ

くもん出版

六四五年への過去《かこ》わたり

平城《なら》の氷と飛鳥《あすか》の炎《ほのお》

目次

一、平城京《ならのみやこ》 …… 8
二、過去《かこ》へわたる星読み …… 20
三、出会い …… 34
四、過去わたり …… 53
五、舎人《とねり》親王《しんのう》 …… 72
六、ふたたび、別れ …… 88

七、瑠璃《るり》色《いろ》の氷室《ひむろ》……100

八、沙々《ささ》がたまわった務《つと》め……116

九、弥乃売《みのめ》……137

十、蘇我《そが》の邸《やしき》……155

十一、雲の上……169

十二、皇極天皇《こうぎょくてんのう》四年六月……185

十三、報告《ほうこく》にあがる …… 200
十四、炎《ほのお》のさなか …… 214
十五、最後の星図 …… 229
十六、日の書と星の人 …… 243
あとがき …… 262
解《かい》説《せつ》 …… 265

六四五年への過去《かこ》わたり

平城《なら》の氷と飛鳥《あすか》の炎《ほのお》

一、平城《ならの》京《みやこ》

木づちの音が、あちらこちらから、たえまなく響《ひび》く。吹《ふ》きぬける風に、木くずが雪のように舞《ま》う。

くしゃん、くっしゃん！

巻《ま》きあがる砂《すな》ぼこりのせいでくしゃみばかりしていたのを、沙々《ささ》は覚えている。おまけに目の中がごろごろし、思わずかきむしろうとするたびに、姉に止められたものだ。

平城《なら》山《やま》丘陵《きゅうりょう》のふもとに京《みやこ》が移《うつ》されたのは、和銅《わどう》三年（七一〇年）三月のこと。

ちりとほこり、材木を運ぶ車輪の音に満ちた新しい京へ、年のはなれた姉に手を引かれて、おさない沙々はやってきた。両親とほかのきょうだいは、はやり病《やまい》にとられてしまった。沙々が生まれてからこのかた、病は毎年のように、多くの命をうばっていったのだ。

「平城《ならの》京《みやこ》までは、きっと病も追ってこないだろう」

多くの人が、そう願っていた。

「だってここは、たいそうありがたい場所柄《ばしょがら》だって話じゃないか」

大陸での務《つと》めをはたして帰ってきた遣唐使《けんとうし》（進んだ制度《せいど》や文化を学ぼうと、日本が唐《とう》に派遣《はけん》した使節）は、唐の律令《りつりょう》、医術《いじゅつ》、天文学、地相学《ちそうがく》など、多くの知識《ちしき》をもたらした。大国・唐の都市にならおうと、新しい京は四神相応《しじんそうおう》の土地に定められたのだ。

四神相応――北の山、平城山丘陵は玄武《げんぶ》、東の清らかな川に青龍《せいりゅう》、南の沢《さわ》が朱雀《すざく》、西国へとつづく道は白虎《びゃっこ》。それぞれ、方角と対応《たいおう》する神獣《しんじゅう》の相がある。天皇《てんのう》がましますお宮が建つべき北側は平城山のすそにあたり、臣下が住まう南側よりも高い。

よい地相は、そこに住む人びとを守護《しゅご》し、悪しきものを防《ふせ》ぎ、ひいては国を栄えさせる。だから沙々たちの新しい暮《く》らしも、きっとよいものとなるにちがいない――そう信じて、平城京までやってきたのだ。

「おい」

沙々がふりかえろうとしたとたん、水しぶきがあがり、体がふっとんだ。顔から土間にたおれこんでしまい、土の味がした。

水を飲もうとして、水がめの前に立っていたはずだった。

「じゃまだ。ただ飯食らいのくせに、ぼさっとしやがるな」

沙々が手にしていた椀《わん》は、はるかむこうでひっくりかえっている。けとばされたのだとわかったときには、相手はとうに水を飲み、出ていったところだった。

「……沙々《ささ》？」

入れかわりに、真桑姉《まくわねえ》さんがもどってきた。

「沙々！　なにがあったの？」

自分が痛《いた》むかのように顔をゆがめる真桑姉さんを見て、血の味に気がついた。口のはしが切れていたのだった。

平城京《ならのみやこ》にたどりついた沙々と真桑の姉妹はつてをたより、車借人《しゃしゃくにん》のかしらとなった男のもとに身を寄《よ》せていた。車借人とは、車と引き手を貸《か》しだす商売だ。これから新しい京に人がふえ、東西の市がどんどん発展《はってん》するだろうと見こんで、たくさんの量のもの、重いものを運ぶという仕事をはじめていたのだ。

大豆のひとすくいやふたすくい、一人分の酒なら、持ってかえるのはなんでもない。だが、大量に買いつけなければならない役職《やくしょく》の官人《かんじん》や、やしなう人間の多い貴族《きぞく》のお邸《やしき》にとって、かしらの思いつきはうまくあたった。雇車《こしゃ》――車と引き手をやとえば、馬の鞍《くら》にのせる荷の三倍の量をいちどきに運ぶことができる。なかなか便利と、少しずつ使ってもらえるようになってきた。

もちろん、沙々や真桑姉さんでは、重い荷をかついで車にのせられるはずもない。それでも美人の真桑姉さんなら、ほほえむだけでお客のきげんがよくなったし、かしらや引き手の兄さんたちのために食事の用意もした。

いっぽう、ちっぽけな女《め》の子《こ》でしかない沙々にできることといえば、水くみ程度《ていど》。「役立たず」「ただ飯食らい」と、あらっぽい兄さんたちからどなられるのはしょっちゅうだ。虫のいどころが悪いと、いあわせてしまっただけでけとばされたり、はたかれたりして、腕《うで》や足にあざができた。

わずかな食べものすら、横どりされることがよくあった。かしらは、沙々がなにをされても目もくれなかった。真桑姉さんがあとでこっそりわけて食べさせてくれなければ、とうに命を落としていただろう。

「……ごめんね」

「どうして姉さんがあやまるの？」

具のほとんど残っていない汁物《しるもの》でも、おなかがあたたまるのだからありがたかった。真桑姉さんはくちびるをかみしめ、沙々の頭をなんどもなでてくれた。

沙々と真桑は、おたがいがたったひとりの家族だ。真桑姉さんのあたたかな手を守るためなら、沙々《ささ》はどんなことでもできると思った。

――姉さんを悲しませないように、めいわくにならないように、あたしになにができるだろう？

そのためにはまず、かしらや引き手の兄さんたちに「じゃまだ」と思われないようにすることだ。

だれの気にも留《と》められないように、沙々は足音を立てないこと、気配を消すことを身につけた。言われたことは一度で覚えるようにし、人のきげんをくみとる努力をした。

荷札を読むために、地面に書いては消してをくりかえし、文字も覚えた。そうじ、荷のしわけ――少しずつ、できることをふやしていった。どなられる回数も、あざもへっていった。

だが、完全になくなることはなかった。美しく、気立てもよい真桑姉《まくわねえ》さんに言いよりたい男はたくさんいたが、

「妹が独《ひと》り立《だ》ちするまでは、妹のことでせいいっぱいで」

と、姉さんは断《ことわ》る言いわけにしていた。彼《かれ》らにしてみれば、沙々は「真桑の妹」というだけで、じゃま者でしかなかったのだ。沙々にもやさしい声をかけてくれたのは、弓足《ゆみたり》という引き手見習いひとりきりだった。

時がたち――この春、沙々は十二歳《さい》になった。真桑姉さんの美しさにはますますみがきがかかり、名も知らない人からも贈《おく》りものが届《とど》くありさまだ。

そんな真桑姉さんが、ようやく一人前の引き手と認《みと》められた弓足を目で追っていることに、沙々は気づいていた。だから、弓足に思いをつげられて真桑姉さんのほのかな恋心《こいごころ》がむくわれたときは、とてもうれしかった。

――お祝いの品、あげたいな。

真桑姉さんのしあわせは、沙々のしあわせだ。

沙々が用意できるものなどかぎられているが、それでもなにか、かたちあるもので真桑姉さんを祝福したかった。

――仕事がすんだら、市でいいものを探《さが》してこよう。

日中はあたたかくなったとはいえ、日の出前は底冷えする。早朝の水くみでほの白い息をはきながら、沙々は心に決めた。

その日の午後も、市はいつものようににぎわっていた。

――毎日使えるから、髪《かみ》ひもがいいかな。

お祝いの品を選んでいた沙々《ささ》は、

「そこのむすめ」

と、よびかける声に顔をあげ、息をのんだ。あたりのざわめきが、しめだされるように遠のいてゆく。

なにが起きたのかわからなかった。

沙々は、真桑姉《まくわねえ》さんのようにとくべつ美しいわけでも、ぬいものやはた織《お》りのぬきんでた腕《うで》をもっているわけでもない。むきだしのすねはよごれ、髪はちりと風とでくしゃくしゃにもつれたまま。

それなのに、今、沙々の前に立ちはだかっている人たちは、りっぱないでたちで馬にまたがっていた。

しっかりと目のつまった染《そ》めのある衣《ころも》をまとい、馬具《ばぐ》はみがかれて光っている。どれも、沙々がたおれるまで働いたところで、手に入らないしろものだ。お宮か貴族《きぞく》のお邸《やしき》からやってきた、貴人《きじん》のお使いにちがいなかった。

先頭のひとりが、馬からおりた。

「さるお方の命《めい》で、これをあずかってまいった」

男がとりだしたのは、薄紅色《うすべにいろ》のやわらかな布《ぬの》だ。花びらのようにうすいのに、こまやかなもようが織りだされている。

とんでもなく高価《こうか》な布にちがいない。市は沙々の庭も同じで、毎日さまざまな品を見ているので、それなりに目が利《き》くのだ。

太くて四角い指が、薄紅の花びらをひらりひらりと開くと、そこには挿頭《かざし》――みごとな細工の髪かざりがあった。布だけでも目を疑《うたが》うほどなのに、それはただの包み布でしかなかったのだ。

「さあ、受けとりなさい。わしは返事を持ってかえらねばならん」

沙々ののどが、こくん、と鳴った。

――これを売ったら、かしらのもとをはなれて、真桑姉さんと弓足《ゆみたり》と三人だけで暮《く》らせるかもしれない。

「さあ！」

薄紅の布と挿頭を手に、男は近づいてくる。指先がうずうずし、沙々が思わず腕をのばしかけた、そのとき。

「そのようなお品はいただけません」

声に驚《おどろ》いてふりかえった。沙々《ささ》のすぐ後ろに、見慣《みな》れたほっそりとした姿《すがた》がある。

――真桑姉《まくわねえ》さん！　どうして？

いつから近くにいたのだろう？　車借人《しゃしゃくにん》の兄さんたちと、とっくに帰ったはずだった。

男は、真桑姉さんを見すえていた。そもそものはじめから、沙々ではなくて、後ろにいた真桑姉さんに話しかけていたのだ。

真桑姉さんは進みでて、沙々をかばうように立った。

「わたしの身に余《あま》るものです」

声はわずかにふるえていたが、しっかりと芯《しん》のある響《ひび》きだった。

「わたしには父も母もいません。ただ、車借人のもとに、なさけで置いていただいているだけでしかないのです」

「わがあるじは、そのようなささいなことはお気になさらん。先日目にしたおぬしを、ただ美しいとお思いになり、そばに置きたいと望んでおられるだけだ」

男がすごむと、まるで、いけにえのうるわしい乙女《おとめ》を食らおうとする悪鬼《あっき》のようだ。

真桑姉さんは、たとえでもなんでもなく、ほんとうにうるわしの乙女だった。沙々がなんのとりえもない女《め》の子《こ》でも、真桑姉さんなら、悪鬼がいけにえに欲《ほ》しがる美しさだ。

「それでも、わたしは――」

「ええい、まどろっこしい小むすめよ！　つづきは御前《ごぜん》で話すがいい」

真桑姉《まくわねえ》さんの体が宙《ちゅう》にういた。男の太い腕《うで》が軽がると、姉さんをかかえあげたのだ。

まさに、悪鬼《あっき》のなせるわざだった。まるで荷物のように真桑姉さんを鞍《くら》にのせると、いかずちの声をとどろかせた。

「みなの者、帰るぞ！」

鞭《むち》の音がするどく響《ひび》く。

待って！　――沙々《ささ》がさけぶ間もなかった。悪鬼のような男も馬も、もうはるかかなただった。

「う、そ……」

ふっと、値切《ねぎ》ったり言いあったりする、いつもどおりの市のさわがしさがもどってきた。

けれども、沙々は動けずにいた。

――真桑姉さんが、さらわれた。それも、貴人《きじん》のところに。

体じゅうがふるえだす。

――姉さんが好きなのは、弓足《ゆみたり》なのに。

道行く人は、だれもがそしらぬ顔だ。せいぜい、眉《まゆ》をひそめる程度《ていど》だ。男たちを追いかけるどころか、京《みやこ》の警護《けいご》にあたる衛士《えじ》をよぼうとする人さえいなかった。

——弓足……助けて。姉さんを、助けて！

こぶしをにぎりしめた沙々は、きちんとした息のしかたすら忘《わす》れて、がむしゃらに走った。

二、過去《かこ》へわたる星読み

「春とはいえ、やっぱり寒いな」

青年はひとりごちて、骨《ほね》ばった手をこすりあわせた。年のころは十八、十九——背《せ》は高いがやせており、首などひょろりとして、しらさぎのようだ。

ここは氷室《ひむろ》。氷室とはふつう、氷を保存《ほぞん》しておくための貯蔵庫《ちょぞうこ》であり、山のふもとなどすずしい場所を掘《ほ》って使うことが多い。真夏であっても、氷をとかすことなく保存できる冷たさだ。

冬におがくずや藁《わら》でくるまれ、氷室でたいせつに保存された氷は、暑い時期にくだものを冷やしたり、熱が引かない病人のために使われる。もちろん、夏の氷はとても貴重《きちょう》なものだから、使うことができるのは高貴な方がただけだ。

しかし、京《みやこ》の地下にひそかにつくられたこの氷室にかぎっては、そういった氷を貯蔵するためのものではなかった。

冷たく、しんとして、まるで死者の国のようだ。だが、ほのかな青い明かりに目が慣《な》れれば、天井《てんじょう》には金箔《きんぱく》と銀箔で星宿《せいしゅく》（星座《せいざ》）がえがかれているとわかる。床《ゆか》には、美しい瑠璃《るり》をしきつめた円がある。

氷の貯蔵庫というよりも宝物庫《ほうもつこ》のようなみごとさだが、ここには高価《こうか》な香木《こうぼく》もなければ、水晶《すいしょう》の鉢《はち》もない。あるのは大陸からもたらされた天文のもっともすぐれた部分と、遁甲《とんこう》（方術《ほうじゅつ》、まじない）のわざだった。

うすい皮膚《ひふ》から寒さがしみこんでくる。かじかんだ指先に息を吹《ふ》きかけ、青年――言祝《ことほき》は、ふところから星図をとりだした。

言祝は、陰陽寮《おんみょうりょう》につとめる星読みだ。陰陽寮とは、京の重要な役所のひとつ。天文博士《はかせ》が星を読み占《うらな》い、漏刻《ろうこく》博士が時をはかり、暦《れき》博士が暦《こよみ》をつくる。

星読みは、天文博士のもとで星図をかくことが務《つと》めだ。けれども言祝には、天文博士すら知らない「とくべつの務め」があった。

四十年ばかり前、皇位《こうい》争いを制《せい》した天武天皇《てんむてんのう》（在位《ざいい》六七三年～六八六年）は、大国・唐《とう》を手本にして、日本という国の足もとを固めようとした。

国をよく治めるには、天の意思のあらわれである星ぼしを、正確《せいかく》に読みとらなくてはならない。そこで天武天皇は、陰陽寮を見直し、星見の施設《しせつ》として占星台《せんせいだい》を建てた。

日本という国がしかるべき歴史《れきし》のある国なのだとしめすために、唐にあるような整った史書が必要だ。史書編纂《ししょへんさん》が命じられ、国家事業として受けつがれて、天武天皇《てんむてんのう》の皇子《おうじ》である舎人親王《とねりしんのう》のもと、作業が進められている。

史書を編《あ》むには、過去《かこ》をよく知る必要がある。ありとあらゆる記録がかき集められたのはもちろんのこと、過去を知るすべのひとつとして、天武天皇は大陸伝来の天文と遁甲《とんこう》のわざをもちいることにした。

そのために、とくべつの氷室《ひむろ》をひそかにつくらせた。それは京移《みやこうつ》りにともなって、平城京《ならのみやこ》に移されている。

言祝《ことほき》はこの氷室とわざによって過去にわたり、見聞きしたものごとを、史書を編むために持ちかえり、知らせるという「とくべつな務《つと》め」を、舎人親王から命じられているのだった。

三日前。

舎人親王によびだされた言祝は、ついに来るべき時が来たのだと思った。ふるえる手をにぎりしめ、つばを飲みこんだ。

「おれも……わたしも、飛鳥《あすか》の炎《ほのお》のさなかへ、過去わたりするのですか？」

過去へわたることこそ、言祝の務めだ。だが、飛鳥の炎だけは、おそろしかった。

　まだ飛鳥の地に宮があった時代——臣下でありながら天皇をしのぐほどの力をもった蘇我氏《そがし》が、政治《せいじ》を思うままにしていた。それを、天皇が中心となる政治へとあらためた、きわめて重大なできごとは大化《たいか》の改新《かいしん》とよばれている。

　この大化の改新のはじまりが、天武天皇の兄であり、のちに天智《てんじ》天皇となる中大兄《なかのおおえの》皇子の手で蘇我氏をうちほろぼした、乙巳《いっし》の変《へん》だ。剣《つるぎ》がふるわれ血が流れ、蘇我の邸《やしき》は炎に包まれて、蘇我一族はほろんだのだ。

　舎人親王は、あごひげをゆっくりとなでた。

「火がつけられた蘇我の邸には、そちの兄分《あにぶん》らがなんども過去わたりをして挑《いど》んだ。だが、まったく成果は得《え》られなんだな」

「だからこそわたしに、こんどこそ成果をあげよとおおせなのですね」

　物心ついたときにはすでに、言祝にはじつの親きょうだいはいなかった。かわりに、血のつながらない兄分たちと暮《く》らしていた。みな、陰陽寮《おんみょうりょう》の星読みでありながら、過去わたりのわざと命《めい》を受けていた。兄分たちとともに天文を学び、遁甲のわざを覚えたのだ。

　だが今、その兄分はひとりもいない。

　過去わたりには危険《きけん》がつきものだ。歴史《れきし》を変えてしまってはいけないから、なにかが起きても人に助けを求められない。過去《かこ》にいられる時間にはかぎりがあり、それをこえると、もどってこられなくなってしまう。

そんなことは、言祝《ことほき》たちもじゅうぶん承知《しょうち》していたが、

『燃《も》える蘇我《そが》の邸《やしき》から史書《ししょ》を探《さが》しだし、持ちかえってくるように』

このたったひとつの命《めい》のために、四人もの兄分《あにぶん》が、帰らぬ人となってしまったのだった。

探す史書とは、およそ百年の昔に厩戸皇子《うまやどのおうじ》（聖徳太子《しょうとくたいし》）と蘇我氏によってまとめられた、『天《てん》皇記《のうき》』と『国記《こくき》』あわせて十余巻《じゅうよかん》だ。今、進められている新たな史書の編纂《へんさん》にとって、きわめて重要な資料《しりょう》となるはずだ。

これらは乙巳《いっし》の変《へん》のおり、炎《ほのお》の中で失われてしまっている。歴史《れきし》を変えてはならないから、失われたその日——乙巳の変のさなかに、燃える邸から持ちだすことしかできない。

しかし、燃えさかる蘇我の邸に過去わたりをした兄分はだれひとりとして、成果をあげるどころか、帰ってくることさえできなかったのだ。もっとも若《わか》い言祝が、ただひとり残るばかりだ。

緊張《きんちょう》のあまりのどをひくつかせる言祝に、舎人親王《とねりしんのう》はひらりと手をふってみせた。

「案ずるな。きょうよびよせたのは、燃える邸に行けと命じるためではない。そちまで失うわけにはいかぬゆえな」

「……え？」

「糸口が見つからぬのなら、やりかたを変えねばと考えておったところよ」

「やりかたを、変える？」

舎人親王はうなずいた。

「そのためにも、蘇我氏がほろんだあの日のなりゆきを、そちは飛鳥《あすか》の宮でことこまかに見てまいれ」

親王に命じられたことを聞きかえすなど、失礼きわまりない。それでも、言祝はたずねずにはいられなかった。

「史書を探さないのですか？　なりゆきを見る……だけなのですか？」

「燃える前に邸にしのびこむすきはないか、史書のありかをもらす者がいないか、よくよく目を見開き、耳をそばだてよ。そうしてもどったそちの報告《ほうこく》を待って、今後のやりかたについて決断《けつだん》する」

――舎人親王がいったいなにをお考えかなんて、おれごときにわかるはずがない。

言祝はただ命じられたことを、そのとおりにおこなうしかない。これまでだってそうだったのだ。

物思いから覚めて、息をつく。氷室《ひむろ》の中では、口からはきだす白いかすみが、まるで死者の国へ旅立とうとするたましいのように見える。

瑠璃《るり》の円にすえられた水盆《すいぼん》に、氷でつくった剣《つるぎ》と、星図をしずめた。大化《たいか》の改新《かいしん》はじまりの日、乙巳《いっし》の変《へん》そのときの天をえがいた星図だ。香炉《こうろ》から立ちのぼった甘苦《あまにが》いけむりが、あたりをとりかこむ。

言祝《ことほき》はまぶたをふせた。

「四神《しじん》　十二支《じゅうにし》　日月星辰《じつげつせいしん》
天は地を映《うつ》し
地は天を映す」

きざみこむように、言《こと》の葉《は》をとなえる。

「清流《せいりゅう》　漏刻《ろうこく》　箒星《ほうきぼし》
水は流れ　星も流れ　時も流れども
水は水面《みなも》に星を留《とど》めて　その時をも留めん」

目を見開き、水盆からつかんだ氷の剣で、するどく一閃《いっせん》した。

宙《ちゅう》が切り裂《さ》かれた。

宙にできた裂け目を、両手でおしひろげる。くぐりぬけると、体にまとわりついていた冷気が、はぎとられるように消えうせた。

そこは過去《かこ》の世。およそ七十年前の六月。雨のにおいが満ち、今にもふりだしそうな空もよう。べたつく暑さと息苦しさは、まちがいなく夏なのだった。

氷室からたちまち六月では、めまいもしようというものだ。言祝は首まわりをゆるめ、あごに伝う汗《あせ》をぬぐった。

皇極天皇《こうぎょくてんのう》四年（六四五年）六月のこの日――中大兄皇子《なかのおおえのおうじ》たちは蘇我氏《そがし》をほろぼすため、相手に逃《に》げられてしまわないよう、十二ある門という門をとざしていた。そして、内側にも外側にも人を立たせ、見張《みは》らせていた。

言祝は宮門《きゅうもん》の門番のひとりになりすました。ふだんより人数がふやされているせいだろう、あやしまれることはなかった。

――そろそろだな。

体を折りまげて痛《いた》がるふりをしながら、言祝は同じ門を守る門番にあやまった。

「……すまん、腹《はら》をくだしそうなんだ。しげみに行ってきてもいいかい？」

「とっとと行け。こんなだいじな日に門前がよごれたら、おれの首まで飛ばされちまう」

ひとりになった言祝《ことほぎ》は、もちろんしげみではなく、式典がおこなわれている大極殿《だいごくでん》へと急いだ。蘇我入鹿《そがのいるか》は式典のさなかに大極殿で、皇極天皇《こうぎょくてんのう》の御前《ごぜん》でうたれるのだ。

重苦しい灰色《はいいろ》の空から、雨が落ちはじめた。

大極殿では、外《と》つ国《くに》の使者をまねいて重要な式典がおこなわれているはずなのに、客人やそのお供《とも》と思われる人の姿《すがた》が、みょうに少ない。ひょっとすると、ほんものの式典なのではなく、蘇我入鹿暗殺《あんさつ》のために、わざわざつくられた場なのではと思われるほどに。

言祝が階《きざはし》の下にひそんでまもなく、いくつもの足音が乱《みだ》れた。つづいて耳は悲鳴を聞き、鼻は血のにおいをかいだ。やがて目は、庭に横たえられた雨ざらしのなきがらを見た。

蘇我入鹿のなきがらはすぐに、甘樫丘《あまかしのおか》にある蘇我の邸《やしき》へと運ばれることとなった。ふりしきる雨と泥《どろ》にまみれた人びと、勝どきのやかましさのおかげで、邸にむかう一行に言祝がまぎれこむのはかんたんだった。

舎人親王《とねりしんのう》に命じられたように、言祝はなにごとも見逃《みのが》すまい、聞き逃すまいと注意をはらっていた。邸にしのびこめるすきはないかと目を見張《みは》り、『天皇記《てんのうき》』と『国記《こくき》』にかかわる話は聞こえてこないか耳をすました。

しかし、そんなものはどちらもなかった。丘の邸から、なげきと怒《いか》りの声がふくれあがるばかりだ。

——これほど気をつけても、新しい発見はなかった。舎人さまはこの過去《かこ》わたりで、なにをおたしかめになりたかったんだろう？

ずぶぬれになって裂《さ》け目《め》からもどった言祝は、氷室《ひむろ》の冷たさにふるえあがった。逃《に》げるように氷室を飛びだし、女官《じょかん》に湯を用意してもらって、ふるえる体をなだめた。

だが、これといった成果もないのに報告《ほうこく》へあがらなければならないと思うと、胸《むね》のうちは不安にゆれるばかりだ。

「おや、おつかれのお顔ですね」

ため息とともに曹司《ぞうし》（役所の庁舎《ちょうしゃ》）に入ると、書きつけをかかえた官人《かんじん》に声をかけられた。

史書編纂《ししょへんさん》にたずさわる者は少なくない。国じゅうから資料《しりょう》を集める係、それらを整理する者、史書にふさわしい文の書きかたを教える渡来人《とらいじん》（中国大陸、半島から、日本へ移住《いじゅう》してきた人びと）など。とはいえ、言祝が「とくべつの務《つと》め」を負っていると知る者は、ほんのわずかだ。

「占星台《せんせいだい》につめていらして、寝不足《ねぶそく》ですか？」

「まあ、そんなところさ」

言祝《ことほぎ》は笑ってごまかすと――ちゃんと笑えていたか自信はない――舎人親王《とねりしんのう》のもとへと、足をはやめた。

どれほど気が進まずとも、言祝にできるのは、過去《かこ》わたりをして見たもの、聞いたものを、ありのまま伝えることだけだ。「兄分《あにぶん》らにくらべて、そちは使えんな」――そうあきれられてしまう覚悟《かくご》も決めた。

しかし言祝が報告《ほうこく》を終えたとき、舎人親王は遠くを見やるようなまなざしをして、あごをさすった。あきれたようすはなく、こうなることを予測《よそく》していたらしい落ちつきぶりだ。

「天智天皇《てんじてんのう》は『蘇我《そが》が編《あ》んだ史書《ししょ》などろくでもない、残らず燃《も》えてせいせいした』とおっしゃったらしいが……。われには、そうは思えぬ。なにが書かれているか、どのように書かれているかを知ることこそ重要なのだ。新たな史書にどういかすかは、われが決める。そのためになんとしてでも、手に入れなければならぬ」

「――はい」

「とはいえ、そちの報告ではっきりしたな。『天皇記《てんのうき》』と『国記《こくき》』のありかを耳にする機会はなく、火がつく前の邸《やしき》にしのびこむすきはなかった」

「――はい」

「今となってはそちしか残っておらぬのに、燃える邸の中をやみくもに探《さが》させるわけにはいかぬ。やはり、いよいよやりかたを変えねばならん」

「……はい」

「蘇我の邸の図面をつくり、あらかじめ『天皇記』と『国記』が保管《ほかん》されている場所をあきらかにするのだ」

「……はい？」

思わず、まばたきをした。

――どうやって？

言祝はあまりのことにぽかんとしてしまったが、舎人親王はよどみなく語った。

邸が燃えるよりも前の日に過去わたりをし、邸内《ていない》を探《さぐ》って図面をつくり、史書の保管場所もつきとめておく。図面がしあがり、邸のつくりを覚えこんで行けば、まよわず保管場所にたどりつける。燃えるさなかであっても、どちらに逃《に》げるべきかがわかる――というすんぽうなのだと。

「しかし、いかに気をつけようとも、邸の中をやとった覚えのない大の男がうろつくのでは、あやしまれよう。図面ができあがる前に、そちが警備《けいび》の兵《つわもの》にきられてしまってはたまらない——なれば、女《め》の子《こ》に探《さぐ》らせればよい」

「女の子、ですって？」

たしかに、だれもあやしまないだろう。こまごまとした仕事をする少女の顔など、貴人《きじん》はいちいち覚えていないものだ。

「言祝《ことほき》よ、そちに命じる。この務《つと》めにふさわしい女の子を見つけだし、過去《かこ》わたりができるよう教育せよ」

御前《ごぜん》からさがるなり、言祝は頭をかかえた。

——舎人《とねり》さまはかんたんにおっしゃるが、これはたいへんなことだぞ。

蘇我《そが》の邸《やしき》にまぎれこむには、少女がうってつけだ——それは言祝も認《みと》めるところだ。

だが、過去わたりは危険《きけん》ととなりあわせだ。いいかげんな人選は許《ゆる》されない。

——いったいどこに、物覚えがよくて機転が利《き》いて、肝《きも》がすわったこわいものしらずの女の子が転がっているというんだ？

教養のある子女といえば皇族《こうぞく》、貴族のむすめだ。しかし、高貴な血筋《ちすじ》のお方を危険にさらすわけにはいかない。

――なにより、万が一命を落としても、まわりがとやかく言わない子どもでないと。

言祝はうなった。

「やっぱり、おれみたいに身寄《みよ》りがないやつにしか、務まらないよなあ……」

いくら思いをめぐらせても、条件《じょうけん》にあてはまる女の子のあてなど、思いうかばないのだった。

三、出会い

走る沙々《ささ》ののどは焼けるようで、口の中は血に似《に》た味がする。視界《しかい》がぼやけ、前がよく見えなくなって、乱暴《らんぼう》に目をこすった。

「弓足《ゆみたり》、弓足！」

戸口で足がもつれて転びかけた沙々を、弓足が片腕《かたうで》で受けとめた。棍棒《こんぼう》じみた腕まわりの引き手の中では、弓足はずいぶん細身だが、それでも沙々をささえるには腕一本でじゅうぶんだ。

「どうしたの、そんなにあわてて。真桑《まくわ》がむかえに行ったけど、会わなかったかい？」

「姉さんが……、真桑姉さんが！」

ひどくむせてしまい、せきが止まらない。

背中《せなか》をさすってくれる弓足の手はやさしかった。このやさしさとおだやかな声が、真桑姉さんの心をとらえたのだ。

——お祝いの品をこっそり用意したくて、真桑姉さんには先に帰ってもらったのに。それなのに、あたしをむかえにもどってくるなんて。それで、さらわれてしまうだなんて！

沙々の中で大きなかたまりがふくれあがっていくようで、胸《むね》がつまる。気持ちはあせるのに、言葉がうまく出てこない。

沙々がやっとのことで、つっかえつっかえ話すうちに、弓足は見る見る青ざめていった。

ふるえる手をにぎりしめ、弓足が戸口にむかいかけたとき、

「やめんか、弓足」

声のほうを見れば、たくましくもりあがった腕を組んだかしらが、こちらをにらんでいる。

「真桑がさらわれて――おれの助けを待っているんです。探《さが》して、助けなくては」

「その必要はない」

かしらの酒焼けした声に、いつも以上のすごみがあった。

「今しがた、長屋王邸《ながやおうてい》から使いのもんが、わしのところに来た。真桑は望まれて、貴人《きじん》に仕える身となったのだ」

口を開きかけた弓足を、かしらは手のひとふりでだまらせた。

「ああいうのは、さらわれたとは言わん。あちらさんは、たいそうな贈《おく》りものまでご用意なすったというじゃないか。真桑は、いい暮《く》らしができるだろうよ。これっきり、わしらはさわいではならんし、さわいだところでなんもできん」

「ですが……、おれは真桑《まくわ》と言いかわしたんです。妻《つま》となる真桑を、むかえに行かなくては」

「弓足《ゆみたり》、わからんおまえではないだろうが？　真桑はもう、手の届《とど》かないところへ行ったんだ。長屋王邸《ながやおうてい》ににらまれたなら、わしらは市に入れねえ。ようやっと調子の出てきた商売がつづけられるどころか、この平城京《ならのみやこ》で生きていかれるかさえ、わからんだろうよ」

　かしらはぶ厚《あつ》い手のひらで弓足の肩《かた》をゆさぶると、沙々《ささ》には目もくれずに出ていった。酒を一杯《いっぱい》ひっかけに行ったのかもしれない。

　ほこりの積もる音さえ、聞こえそうな静けさの中――

「……ねえ。真桑姉さんを、助けに行くよね？」

　弓足は答えずに、沙々の背中《せなか》をそっと押《お》した。

「そろそろ夕餉《ゆうげ》だ。あらっぽい兄さんたちが食べきってしまう前に、もらっておいで」

「それどころじゃないよ。おなかなんてすいてない！」

「沙々だって、大きくなったら真桑みたいな美人になりたいだろう？　だったら、ちゃんと食べないとね」

　ちゃんと食べたところで真桑姉さんのような美人になれるわけがないと思ったが、言葉は、沙々ののどでつかえてしまった。

それほどまでに、弓足の表情《ひょうじょう》は暗かったのだ。目は火が消えたようにうつろで、生気がない。

ふたたび背中を押しやられたものの、とても夕餉を食べられる気分ではなかった。

――弓足は、真桑姉さんを助けてくれるの？

かしらの言葉が重い縄《なわ》となり、弓足にからみついているのが見えるようだった。

あの真っ青な顔で、うつろな目で、助けに行ってくれるかどうか。もうあきらめてしまって、弓足はからっぽになったのではないか？

たちまち、沙々の胸《むね》でばちんと炎《ほのお》がはじけた。

――だったら、あたしが助けないと！

ふだんは、目立たないように、おとなしくしようと心がけている沙々だった。だが今は、おとなしいふりなどぬぎさった。血がごうごうと燃《も》えるようだ。

真桑姉さんを連れてかえったなら、きっとかしらはおこるだろう。だが、それがなんだというのだ！　姉さんを見捨《みす》てるだなんて、沙々にはぜったいできないことだ。

沙々は強く強く歯を食いしばり、ひとり外へと飛びだした。

長屋王邸の場所なら知っている。大路の北東だ。荷を積んで長屋王邸をめざす車に、沙々はなんどか乗っているのだ。道と荷おろしの順を覚えて知らせるのは、いつのまにか、沙々《さ さ》と真《ま》桑姉《くわねえ》さんの役目になっていた。

息があがり、わき腹《ばら》がずきずきと痛《いた》んだ。高い塀《へい》やりっぱなかまえの門が、身のほど知らずの沙々を「場ちがいめ」とせせら笑っているかのようだ。

あやうく転びそうになりながら、それでも腕《うで》をふりまわすようにして、門の中へと駆《か》けこんだ。

「おいこら、ちびすけ、待て！」

追いかけてきた門番の声は、すぐに風で吹《ふ》きちらされた。

胸《むね》がぜいぜいといやな音を立てても、ふだん荷おろしをする場所まで足を止めなかった。目に入りそうな汗《あせ》をぬぐい、あたりを見まわすが、人影《ひとかげ》はない。真桑姉さんが助けを求める声どころか、人が立てる音らしい音がない。からすがものうげに歩いているだけで、静かなものだ。

「真桑姉さん……。どこ、なの？」

なんとか息を整えて、くちびるに指をそえ——指笛を吹いた。雇車《こしゃ》の仕事をするときの、沙々と真桑姉さんの合図だ。たかの声のように響《ひび》きわたり、からすが飛びあがったが、真桑姉さんからの返事はなかった。

沙々は周囲《しゅうい》を歩きまわってみた。だれもいない。なにもない。

心《しん》の臓《ぞう》が打つ音ばかりが、いやに大きく感じられる。目がうるみ、鼻の奥《おく》がつうんとした。あたりがひたひたと藍色《あいいろ》に染《そ》められていくさなか、とうとつに星が見えた。目もとをこすってまばたくと、それは星ではなく灯火《とうか》だとわかった。ふたり連れで、世間話でもしているのか、のんびりした足どりだ。

沙々の足は、かってに走りだしていた。

「返して！」

「おっと！　こいつはなんだ？」

がむしゃらに飛びついた沙々をつまみあげたのは、ひょろりと背《せ》の高い青年だ。年のころは、十八、十九くらいに見える。

「こんな時間にたかの声がするかと思えば、とんだひよっこじゃないか」

「はなして！」

沙々は思いきり手足をばたつかせた。連れの年かさの男はあわてて、

「言祝《ことほき》どの、お気をつけください。こらむすめ、ここがご皇孫《こうそん》・長屋王《ながやおう》さまのお邸《やしき》と知って悪さをするか！」

「先に悪さをしたのは、そっちのくせに。真桑姉さんを今すぐ返してよ！」

「まくわ……？　おや、なんとなんと、車借人《しゃしゃくにん》のところの子じゃないかね」

灯火《とうか》がかかげられた。よくよく見てみれば、年かさの男のほうは、沙々《ささ》も知っている顔だった。運びこんだ品を確認《かくにん》するお役目のひとりだ。

「おい、そのしゃしゃなんとかってのは、なんだ？」

「車借人ですよ、言祝《ことほき》どの。車や引き手を貸《か》して、荷を運ぶことを商売にしているやからです。……こんな時間に、どうしたというんだね？」

沙々は市でのできごとを語った。弓足《ゆみたり》に話していたので、こんどはつかえずに説明できた。

彼《かれ》らは顔を見合わせた。

「はじめて聞くよな？」

「はい。それらしいさわぎもございませんでしたな」

「女たちがうわさしそうなものだけどな」

「まずもって、人さらいのような所業《しょぎょう》を、長屋《ながや》さまがお許《ゆる》しになるとは思えませんが」

「長屋さまは、誠実《せいじつ》そのものが人のかたちをしたようなお方だもんなあ」

沙々はとまどった。

「でも、長屋王のところから使いが来たって、かしらが……」

「その使いとやらが、長屋《ながや》さまの名をかたったのかもな。血筋《ちすじ》も実力も申し分ない長屋さまのことを、おもしろくないって思うやつらもいるんだ」

青年は、これでこの話は終わりと言わんばかりに、ぽんとひざをたたいた。

「残念だったな、ここにおまえさんの姉さんはいない。さっさとあきらめて、おうちに帰りな」

あたりはすっかり夜の一歩手前で、沙々《ささ》たちのいる場所だけが、灯火《とうか》に照らされてほおずき色だった。そのほおずき色がゆらめき、今にも立ちさろうとした。

沙々の中で、ふたたび炎《ほのお》がはじけた。

「さっさとあきらめられるくらいなら、はじめっから来ないよ！　あたしにうちなんてない。家族は、真桑姉《まくわねえ》さんだけなんだから！」

青年は足を止め、とっくりと沙々を見つめた。物売りの前を気なしに通りすぎたが、ふりかえって見てみたらちょうど欲《ほ》しかったものがあるとわかり、もどってきた客のように。

ふいに青年は物思いにふける顔になり、こめかみをもんだ。

「そういえば……さっき家令所《かれいどころ》で、たいそうな美人を見かけた気がしたな」

「えっ？」

「もしかすると、それがおまえさんの探《さが》し人かもな。しかしまさか、そんなことがあるはずもないよな！」

　沙々は身を乗りだした。

「ある、あるはずだよ！　きっと真桑姉さんだ！」

「言祝《ことほき》どの？　いったい、どういうおつもりで？」

　年かさの男のいぶかしげなようすも、気にならなかった。

「家令所って、どこなの？　すぐ近く？」

「ここをまっすぐむこうへ行くと、倉のならんだ場所に出る。そこから右に曲がると厨《くりや》（食事をつくる場所、台所）の前庭で、厨をまわりこんだ奥《おく》にあるのが家令所だ」

「わかった、行ってくる」

「おい、ちょっと、待たんかね！」

　引きとめようとする腕《うで》をふりはらって、沙々は身をひるがえした。

　ふだんは行かないところまで走ってみると、長屋王邸《ながやおうてい》の広さが身にしみた。暗く、なにも見えなくなってしまわないうちに、真桑姉さんのところへたどりつかなければ！　自分をはげましながら、足を動かした。

　――あれが倉のならびだろうから、ここの広場を右へ。厨の建物が見えたら、その建物の奥《おく》……。

官人《かんじん》なら家に帰っている時間だが、お邸《やしき》の中では夕餉《ゆうげ》の準備《じゅんび》にかたづけなど、まだまだいくらでも仕事はあるのだろう。厨《くりや》のあたりはあわただしく、出入りする人影《ひとかげ》もあった。

見つかってしまわないように、沙々《ささ》は足音を立てない歩きかたに変えた。すばやく目を配り、水がめや積みあがったかごにかくれながら、奥にあるという家令所《かれいどころ》をめざした。

厨をなんとかやりすごし、家令所の位置のめぼしをつけて、ふたたび走りだそうとしたそのときだった。

男が立ちふさがった。沙々は悲鳴をあげかけた口もとをおさえ、暗がりに飛びこんだ。

――じっとしていれば、見つかりっこない。

つかまったらおこられるのだろうか。たたかれるのだろうか。息をひそめ、男が立ちさるよう念じていたのに、ほおずき色の明かりがつきつけられた。

まぶしさに、なみだがにじんだ。こわくて泣いたわけではないと、自分に言いきかせた。相手をにらみかえすために、沙々は目もとをぬぐった。

それなのに、明かりを手にしていたのは、家令所の場所を教えた青年なのだった。連れのほうも、肩《かた》で息をしながらもついてきている。沙々はぼうぜんと見あげた。

「おまえさん、なかなか骨《ほね》があるな」

「――骨の、ない人なんている？」

ぷっと、青年は吹《ふ》きだした。

「年はいくつだ？」

「……十二」

「十二か。物覚えがいいし、足もはやいし、しのび歩きもみごとじゃないか。このおれが、見失うかと思ったくらいにな！」

「あたしをからかって、笑うために追いかけてきたの？」

「からかってなどいないさ。おれは、必要なことをしたまでだよ」

「あたしをだまして走らせることが？　ほんとうは、真桑姉《まくわねえ》さんを見ていなかったのに？」

腹立《はらだ》たしくて、沙々はじだんだをふんだ。

「真桑姉さんは、貴人《きじん》のお邸にさらわれたの。それはたしかなの。ここじゃないっていうのなら、どこを探《さが》せばいいかくらい教えてよ！」

「こら、そんな口の利《き》きかたをするではないぞ？　きょうのところは、言祝《ことほき》どのにせっかく見《み》逃《のが》していただけるのだから――」

「いいや、見逃《みのが》すのはやめた」

言祝《ことほき》とよばれた青年は身をかがめて、沙々《ささ》と目を合わせた。

「貴人《きじん》にさらわれた姉さんを探《さが》しているんだな？　だったら、おれといっしょに来て、仕事を手伝ってもらおう。おれは陰陽寮《おんみょうりょう》につとめる、星読みの言祝だ。皇族《こうぞく》貴族とかかわる機会はたんとあるから、そのうちに、姉さんとやらのゆくえも聞こえてくるかもしれないぜ？」

「それは……」

しょうじき、今すぐ探しに行きたかった。そのうちだなんて、いつになるかわからない。真《ま》桑姉《くわねえ》さんは助けを待っているだろう。

そう言いかけた沙々の口に、言祝は人さし指をつきつけた。

「おっと、断《ことわ》るのはおすすめしないな。その顔、すぐにでも次のお邸《やしき》にすっとんでいくつもりだろう？　長屋《ながや》さまのお邸だけでなく、べつのお邸をもさわがせようとしているおまえを、野放しにはしておけない。門部《かどべ》に引きわたされるのと、おれのところに来るのと、どっちがいい？」

灯火《とうか》が近くにあるのに、沙々は目の前が真っ暗になる心地だった。

門部とは、お宮の警護《けいご》をになう兵《つわもの》だ。同じ兵でも、全国から京《みやこ》に集められてきた気さくな衛《え》士《じ》とは、わけがちがう。門部につくのは、代だい警護のお役目を負う一族なのだ。仕事のさなかに見かけると、なにも悪いことをしていないのに、目つきのするどさにどきりとする。門部に引きわたされたなら、どうなってしまうのだろう？　重い罰《ばつ》がくだされれば、一生とじこめられるかもしれない。

「そうそう、門部はこわいだろう？　おとなしくいうことを聞いておいたほうがりこうだぜ」

　言祝は満足げに笑った。


　言祝に手を引かれて、沙々は長屋王邸《てい》を出た。

「手なんかつながなくても、ひとりで歩けるのに」

「夜道はあぶないし、はぐれたらしゃれにならないだろう？」

　目の前の平城宮《ならのみや》に行くだけだというのに、言祝は手を放してはくれない。逃《に》げられないようにつかまえておきたいのが本音なのではと、沙々はあやしんだ。

「ほんとうにお宮につとめているの？　あなたこそ、人さらいなんじゃない？」

　言祝は鼻を鳴らして、

「失礼だな。長屋さまのお邸にいたのだって、たのまれていた星図を届《とど》けに行ったからなんだぜ？　おれは、れっきとした陰陽寮の星読みだよ。……星読みって、なんだかわかるか？　占《せん》星台《せいだい》で星を読んで、星図をつくるのが仕事だ」

「せんせいだい、ってなんなの？」

「占星台は、天武天皇《てんむてんのう》がおつくりになった星見の施設《しせつ》だ。星を読むとはつまり、天の意思を読みとるということ。国と民《たみ》を治める天命《てんめい》を受けたお方こそが天皇――だからな。天と地は鏡のようなもので、天には、やがて地上で起こるものごとが前もってあらわれる。だから大水や干《かん》ばつ、内乱《ないらん》のきざしを星から正確《せいかく》に読みとってまつりごとにいかすのは、いっとうだいじなことなんだ」

沙々《ささ》は夜空をふりあおいだ。黒い布《ぬの》に銀の砂《すな》をまいたように、たくさんの星が見える。だがそれは、今が夜だということを沙々に教えるだけで、ほかにどんな意味をも読みとれはしなかった。

「どうやったら読めるの？　字が書いてあるわけでもないのに」

「そりゃあ、時間をかけて学ぶに決まってるだろう。大陸から伝わった天文学のさわりすら知らないおまえさんが、今ここで星を読んで星図なんぞつくれたなら、天文博士《はかせ》だってお役ごめんになっちまう」

「ふうん……」

『おれといっしょに来て、仕事を手伝ってもらおう』

言祝《ことほき》はそう言った。いったいなぜ、彼《かれ》は沙々のようにとりえのない子どもが、星読みの仕事を手伝えるようになるなどと、とんでもないことを思いついたのだろう？

胸《むね》を張《は》る言祝をなんとはなしに見ていると、はたと見返された。

「そういえば、おまえさんの名前を聞いていなかったな。なんていうんだ？」

「沙々」

「さ、ささやか」の沙々。「さ、ささいな」の沙々。

ちっぽけで、目に留《と》める価値《かち》もない、やせっぽちの女《め》の子《こ》にぴったりの名前だ——みんながそう言って、笑ったものだ。

だが、言祝は笑わなかった。

「へえ？　火の玉みたいなおまえさんには、もったいないほど風情《ふぜい》があるな」

「風情だなんて、いやみ？　からかってるの？」

「なにがだ？　笹《ささ》の葉がそよ風にゆれるさまのようじゃないか」

ぽっかり、沙々は口を開けてしまった。そんなふうに言われたのははじめてだ。

「ぼんやりしていると、羽虫が口に飛びこむぜ。ほら、うちに着いた」

言祝《ことほき》が灯火《とうか》をかかげた。

柴垣《しばがき》がめぐり、やなぎの影《かげ》がさわさわとゆれている。ふたつの棟《むね》は板ぶきではあったがどっしりしていて、廊《ろう》でつながれている。

真桑姉《まくわねえ》さんと身を寄《よ》せあい、身を縮《ちぢ》めて眠《ねむ》っていた沙々《ささ》の目には、ほとんどお邸《やしき》のように映《うつ》った。

「すごい――何人で住んでいるの？」

「前は、何人もいたんだがな……。今じゃ、女官《じょかん》ひとりをのぞけば、おれだけだ」

言祝は沙々の手を引いて、むぞうさに中へと入った。

「もったいない。広そうなのに」

「……まあな。広いから、おまえさんがここに住みこむのに、なんの心配もないぜ」

――そうだった。これからは、かしらのところじゃなくて、ここで仕事をするんだ。

「おうい、玉虫《たまむし》、玉虫はいるか！」

言祝が声をあげると、

「お帰りがおそいうえ、いったいなにごとですの？」

声だけでなく目も鼻も口も大きい、はでな顔立ちの女性《じょせい》が、肩《かた》をいからせてやってきた。

目じりをつりあげ、鼻をふくらませたその迫力《はくりょく》は、まるでせまりくるいのししで、沙々は思わず言祝を盾《たて》にした。

「玉虫、こいつは沙々というんだ。きょうからおれ付きの女官見習いになる。ゆくゆくは、貴《き》人《じん》のおそばにお仕えしてもはずかしくないように、しつけてやってくれ」

「前から、もうなんども、なんども、申しあげておりますでしょう！」

いのししがほえた。沙々の心《しん》の臓《ぞう》が、のどもとまで飛びあがった。

「ものごとには順序《じゅんじょ》というものがございます。こういうことには、じゅうぶんな事前の確認《かくにん》と、準備《じゅんび》と、時間が必要だと！　言祝さまはなんだって、いつだって、たいへんなことをしれっと、急におっしゃるんです？」

言祝の腰《こし》が引けている。

「言祝さま」とよばれているのだから、当然言祝のほうが立場は上のはずなのに、まるでしかられて言いわけを考えている子どもの顔をしている。

玉虫という名らしい女性は、鼻から火を吹《ふ》かんばかりの息をした。

「女《め》の子《こ》は物入りなのです。まして、一流の女官にとお望みなら！　いったい、どちらのおじょうさんなのです？　そんななりに身をやつして……。わけありとはお察しいたしますけれど、あずかるからには信用というものがございましょう。わたくしに押《お》しつければどうにかなるなどと、思っておいでではこまります」

「けど実際《じっさい》、玉虫《たまむし》ならどうにかしてくれるだろう？　この子は、ただ女官《じょかん》にしたいんじゃない――いずれ、舎人《とねり》さまのお務《つと》めにかかわる子だ」

玉虫のもとより大きなまなこが、くわと見開かれた。

湯でもわかせそうなほどに赤かった顔が青ざめる。

彼女《かのじょ》はそでで口もとをおさえ、まじまじと沙々《ささ》を見たのだった。

四、過《か》去《こ》わたり

沙々《ささ》は、玉虫《たまむし》と言祝《ことほき》の顔をかわるがわるうかがった。

言祝はどことなく、後ろめたそうな面持《おもも》ちをしている。しかしなぜ、たちまち玉虫の顔色が変わったのか、沙々にはまるでわからなかった。

「……舎人《とねり》さまのお務《つと》めにつくならば、よけいに、前もってご相談いただきたかった」

「……悪い」

「悪いですんだら、門部《かどべ》はいりません」

玉虫はぴしゃりと言って、

「まずはほこりをきちんと落として、清潔《せいけつ》な衣《ころも》に着がえて、お食事ですわね。この子、髪《かみ》も手足も砂《すな》まみれじゃございませんか。どちらからお連れになったのです？」

「家族はいないし、帰りたくないんだと。肝《きも》のすわりっぷりが気に入ったから、連れてきた」

しばし、玉虫は言葉を失った。

「――そんなの、人さらいじゃありませんか」

「人聞きが悪いな。門部《かどべ》のところにつきだされるのとどっちがいいかとちゃんと聞いて、おれのほうを選んだのは沙々《ささ》だよ」

言祝《ことほき》は「な？」と沙々に念を押《お》した。

選んだというよりも、選ばざるを得《え》なかったのだ。それでもまちがいではなかったので、沙々はしぶしぶうなずいた。

「舎人《とねり》さまのお務《つと》めについては、きちんとお話しされたのですか？」

「それは、まあ、これからだ。ものごとには、おまえさんの好きな順序《じゅんじょ》ってものがあるんだろう？まずは飯だ。腹《はら》がへった」

ひらひらと手をふりながら立ちさる言祝に、玉虫《たまむし》はあらっぽく鼻を鳴らした。鼻から火の粉《こ》が見えるようだった。

「まったく、こまったお方だこと。沙々、といいましたね？　ついていらっしゃい」

沙々はおとなしく従《したが》った。玉虫にはできるだけさからわないほうがよいと、言祝を見ていてそう思った。

なにより、言祝の「腹がへった」のせいで、夕餉《ゆうげ》を食べていないことを思いだしてしまった。ついていかなくては、食事にありつけない。

くうっと、せつなく腹が鳴いた。聞こえてしまったらしく、玉虫がほほえんだ。

しかし腹の鳴き声くらいで、玉虫は順序を変えはしなかった。

ほこりを落とすと聞いて、水をかぶるくらいに考えていた。なのに、沙々は湯を張《は》った大きなたらいに入れられて、ごしごし洗《あら》われた。髪《かみ》はこれでもかとくしけずられ、驚《おどろ》いたことに、からまった毛のふさはひとつもなくなった。

あたえられた衣服は美しかった。上着も帯も明るい緑で、つやがある。沙々は息をのんだ。まるで若葉《わかば》のにおいが香りそうだった。

――こんなの、着たことない。

――真桑姉《まくわねえ》さんに、似《に》あうだろうな。

「こら、しゃんとなさいまし！」

玉虫にきゅっと帯をしめられ、丸まっていた背中《せなか》がそるほどにのびた。

「やあ！　かわいくなった、かわいくなった」

玉虫に連れられた沙々に気づき、食事中だった言祝はにやりとした。

「かわいい必要なんかあるの？」

たしかにきれいな、一生着ることもないと思っていた上等の衣《ころも》だ。それでも、こんなにすそ

が長くては走れないし、きゅうくつだし、息もつまる。

しかし、言祝《ことほき》は大きくうなずいて、

「そりゃあ、かわいいと思われるのはたいせつさ。強力な武器《ぶき》になる」

「かわいいが、武器？」

「ああ。さっきまでみたいな髪《かみ》はぼさぼさ、全身ほこりだらけのかっこうで、宮中をうろついてみろ。すぐに、ぽいっとつまみだされる。だがな、きちんと髪を結《ゆ》って、そのなりでいたなら、たとえ立ち入り禁止《きんし》の区画にぼうっと立っていても『かわいそうに、まよいこんだんだな』で許《ゆる》してもらえるさ。それはおれがもちあわせていない、おまえさんのだいじな武器だ。心して覚えておけよ」

武器と言われても、槍《やり》や棒《ぼう》しか思いうかばない沙々《さささ》だった。

そんなことよりも、目の前に運ばれてきた夕餉《ゆうげ》のほうに注意が引きつけられた。

ほこほこ湯気をたてるお米のお椀《わん》、魚の煮《に》つけ、青菜の汁物《しるもの》。塩づけの野菜に、酢《す》のもの。

がまんできなくなり、沙々はお米をかきこんだ。青菜の汁物はきちんと塩味がして、魚の煮つけを食べるとなみだがにじんだ。引き手をなんとか食わせていくことがだいじだった車借人《しゃしゃくにん》のもとでは、沙々が口にできたのは煮た玄米《げんまい》の余《あま》りと、具のほとんどないわかめ汁くらいだった。

玉虫《たまむし》はほかの仕事にもどったらしい。言祝《ことほき》だけが目の前で、じっと沙々《ささ》の食事ぶりをながめていた。

「おい、沙々」

「ふぁひ？」

「返事は口の中のものを飲みこんでからにしろ。ここと、ここ、米つぶがついてるぞ」

「ん、あとでとる。どうせ、またつくし」

言祝は長ながと息をはきだした。

「車借人《しゃしゃくにん》のかしらとやらは、どうして礼儀《れいぎ》の基本《きほん》すら、おまえさんにしこんでくれなかったんだ」

ぽつんと、沙々はつぶやいた。

「あたし、すずめみたいなもんだから」

「すずめ？　まあ、いわれてみればたしかに、おまえさんは小さくてすずめっぽいが……、人の子だろうが」

「かしらはたぶん、そんなふうに思ってなかったよ。あたしなんて、かってに住みついた、ちょろちょろしてるだけのすずめの子――その程度《ていど》だったと思う。ねずみなら殺《ころ》されて、犬ならそれなりにあつかわれるかもだけど、すずめなら、いてもいなくても変わらない。すずめに礼儀を教える車借人なんて、聞いたことがないよ」

男《お》の子《こ》だったら、引き手にして使うためにしこんだかもしれない。真桑姉《まくわねえ》さんのように美人だったなら、お客をよびこむのに使えたかもしれない。けれども沙々は、かしらが気にかけてくれていると感じたことは、一度たりともなかった。

「こんなあたしだけど、口べらしで捨《す》てられなかっただけ、よかったんじゃないかな」

くやしくも、悲しくもない。ただ、むなしかった。

のどがつかえた。まざりもののないやわらかいお米なのに、飲みこもうとすると苦しく、痛《いた》むのだった。

言祝はなんどか、口を開きかけたり、とじたりをくりかえしていた。やがて、

「……ったく！　そんなこと、これからは露《つゆ》ほども考えるんじゃないぞ」

「——え？」

「沙々。おまえさんはこれから、重要なお役目をになうんだ。……いいか？　とくべつな、沙々にしかできない務《つと》めだ。胸《むね》を張《は》れ」

目からしずくがしたたった。

——おかしいな。なんで、なみだが出るんだろう。

鼻の奥《おく》が塩からい。言祝《ことほき》の腕《うで》がのびて、沙々《ささ》の頭をあらっぽくなでた。

「まずは飯をぜんぶ食ってからだ。待っていてやるから、残すなよ」

「……うん」

これ以上飲みこめないほどにおなかがふくれたのは、はじめてだ。

おなかだけでなく胸《むね》までも、よそいたてのお米でいっぱいのように、あたたかく満ちたりていた。

白湯《さゆ》を口にして、ほうっと息をつく。

指の先、体のすみずみまでがあたたまり、うっかり眠《ねむ》たくなってしまいそうだ。

「落ちついたか？」

沙々はうなずいた。

玉虫《たまむし》が白湯のおかわりを持ってきて、空いたお盆《ぼん》にてきぱきと器《うつわ》をかたづけた。

「残さず食べられたみたいで、よかったこと」

「いろいろ、用意をしてくれて——ありがとう」

着がえとか……、ご飯とか。声はしりすぼみになってしまったが、聞こえたらしい。玉虫の濃《こ》いまつげが音を立てそうなまばたきをして、ふっ、とやわらかな息がもれた。

「急なことでしたから、いたらないところもありますけれど、気に入っていただけたならなによりですよ。身のまわりでなにかわからないことがあったら、なんなりとおたずねなさいましね。あなたはこれから、重要なお役目をおおせつかるでしょうから、わたくしでは用がたりないかもしれませんが」

玉虫は優雅《ゆうが》に腰《こし》をかがめて、立ちさった。

「重要なお役目――あたしにしかできない務《つと》めについて、教えて」

いずまいを正して、沙々は言祝を見つめた。

「言祝に仕事を手伝えって言われて、あたし、それは星読みのことだと思っていたの。けどなんだか、それだけじゃない気がして……。だって、星読みや女官《じょかん》なら、あたしよりもできる人やむいている人が、ほかにいるでしょう？」

言祝のすずしい目もとがふわりとゆるむ。彼《かれ》はくちびるのはしをつりあげた。

「そのとおり。かしこいなあ、おまえさん。そう、沙々にやってもらいたいお役目は、ただの女官じゃあない――舎人《とねり》さまのお務めにたずさわる女官になるということだ」

「舎人さまのお務めって？」

「史書編纂《ししょへんさん》だ」

はじめて聞く言葉に、沙々《ささ》は首をかしげた。

「ししょへんさん……」

「史書とは、歴史《れきし》をしるした書物のことをいうんだ。編纂というのは……、なんと言えばわかりやすいだろうな？　いくつもの材料を集めて、その材料がよりよくなるように手をくわえたり、たりない部分を合わせたりして、書物の中身をつくりあげることだ」

書物など、沙々にはこれまで縁遠《えんどお》いものだった。

「言祝《ことほき》は星読みなのに、書物づくりにかかわっているの？」

「おれたちにとって、星を読むのと史書を編《あ》むのはひとつながりだ。星は天の意思、それが天《てん》皇《のう》の治世によって地にいかされ、人のいとなみとなる。そして、歴史として積みかさねられていく。その歴史を書物としてまとめるのが、史書編纂というわけだ。天武《てんむ》天皇が史書編纂をお命じになったのは、四十年近くも前のことだが――みまかられたあとは皇后《こうごう》さま、そしてお孫さまの今上《きんじょう》天皇へと受けつがれている。天武天皇の皇子《おうじ》であらせられる舎人親王《とねりしんのう》を筆頭として、作業が今もつづいているんだ」

「なんでそんなことするの？」

それは、すなおな疑問《ぎもん》だった。

沙々は、星やら天の意思やら、歴史についても、毛の先ほども考えたことがなかった。かしらにどなられないか、ほうりだされないか、虫のいどころが悪い引き手の兄さんたちにけとばされないか――そういったことに注意するほうが、ずっと重要だった。

「史書なんかなくても、生きるのにこまらないでしょ？」

「きょう、ただ一日を生きることだけ考えるなら、たしかにな。……だが、もっと広い範囲《はんい》で考えてみろ。海のむこうには外《と》つ国《くに》が――新羅《しらぎ》や唐《とう》の国がある。おまえさんが大人になってから、おれが死んだあとにだって、この国はつづいていく」

「うん。だと、どうなの？」

「唐の国には昔から、すでに史書があった。唐に行ったことがなくてもそれを読めば、そこがどんな国でどのように治められ、どんな事件《じけん》を乗りこえてきたのかがわかるすぐれものなんだ。だから日本も、同じように史書をつくれば、『われわれの国はこのような国です』と、外つ国にしめすことができるわけだ。それに、千年先、二千年先までおれたちの史書が残って、どのように国がなりたち、どうやって京《みやこ》をつくって、いつ地ゆるぎがあったか、干《かん》ばつがあったか、そしていかにして立ちなおったか――それらが伝わったおかげで、先の世の助けになるのは、すごいって思わないか？」

——そういうもの、なのかな？

しょうじき、これといって沙《さ》々《さ》の心が動くことはなかった。それでも、大人やえらい人びとにとっては価《か》値《ち》のある、たいへんな仕事なのだろう。

「星読みの人はみんな、星を読むし、書物をつくるの？」

「いいや、任《にん》ぜられた者だけだ。陰陽寮《おんみょうりょう》だけじゃなく、いろいろな人がたずさわっている。あちこちから記録を集めて整理するには、人手も時間もかかる。もちろん文章のうまい人間が欠かせないし、唐《とう》の史《し》書《しょ》にくわしい渡来人《とらいじん》だって必要だろう？……そうだ。沙々、字は読めるか？書くのは？」

「車借人《しゃしゃくにん》のところで働くのなら、荷札すら読めない役立たずじゃ、ろくに食事ももらえないから。むずかしい言葉は知らないけど、積み荷の品の名前は毎日読んでたし、書いてたよ」

「上等だ」

言祝《ことほき》は満足げににんまりして、

「女官《じょかん》として必要なふるまいや知《ち》識《しき》は、玉《たま》虫《むし》が教えてくれる。もちろん、むずかしい言葉の読み書きもな。——とはいっても、おれはおまえさんに、貴《き》人《じん》のおそばでご用うかがいをするだけの女官になってもらいたいわけじゃあない。沙々が背負《せお》うのは、もっと危険《きけん》な務《つと》めだ」

「書物をつくることのどこが危険なの？」

「いいか？　沙々にしかできない務めとは、紙を切ったり継《つ》いだり、墨《すみ》で書いたりすることとはちがう」

　沙々は首をかしげた。

「史書編纂《へんさん》、なのに？」

「そりゃあそうさ。そういった作業なら、今いる官人《かんじん》だってできるのだし」

　言われてみれば、そうなのだった。

「史書を編《あ》むときにいちばんたいせつなのは、知ることだ。いろいろな記録をつなぎあわせても、たくさんの人びとの記憶《きおく》を集めても、知りえない、わからないままの部分が出てくる。何十年も前に、実際《じっさい》なにが起きていたのかを調べなければならないときがある。そんなとき、『とくべつなわざ』で過去《かこ》の世にわたって、たしかめるんだ。そのわざは、『過去わたり』とよばれている。舎人《とねり》さまのかわりに過去わたりをして、見聞きしたことを持ちかえって知らせることこそが、おれたちの務めだ」

　沙々ののどがこくりと鳴った。言祝のまなざしはしんけんで、とても沙々をからかっているようには見えない。

「過去《かこ》の世に行くだなんて……。そんなことが、できるの？」

「できるとも」

力強く、言祝《ことほき》はうけあった。

――ほんとうに？

死んで極楽に行くという話なら、まだわかる。死んだ体からぬけだしたたましいは、きっとすきとおっていて、なにものにもさまたげられることはないのだから、どこへでも行けるのだろう。

だが生きたまま、この体のままで、過去に行って帰ってくるとは、どうやって？

とても信じられなかった。ばかばかしいと思った。けれども沙々《ささ》は、大人にきちんとしたひとりの相手として話をされたのは、はじめてだった。だから「ばかばかしい」は飲みこんで、言祝の話を最後まで聞こうと思った。

「天武天皇《てんむてんのう》は星を読むことがおできになっただけでなく、大陸から伝来したまじないにもよく通じていらした。戦いに際《さい》しては戦局を占《うらな》ったり、勝つためのまじないで士気《しき》を高めたりしていたそうだ。

過去にわたるわざも、唐《とう》と半島からもたらされたきわめつきの技術《ぎじゅつ》で、天武天皇がとりいれなさったんだ。ただ——過去わたりにはいくつか、難点《なんてん》があってな」

卓《たく》の上で組んだ指を、言祝は落ちつかなげに組みなおす。

「過去の世のできごとには、ぜったいにかかわってはいけない。かかわったことで、先の世が変わってしまうかもしれないからだ。たとえば、大出世するはずの人物と話しこんで遅刻《ちこく》させてしまったら、出世できずに、なされるべきことがなされなくなってしまう。おれが馬を借りたせいで、本来なら病気の家族のもとに駆《か》けつけるはずだった人が借りられずに、手おくれになってしまうかもしれない」

「そういうことなら、あたしみたいな信用ならないやつにやらせるのは、心配でしょ？　その舎人《とねり》さまが、自分で過去わたりをすればいいんじゃない？」

「難点とはまさにそこなんだよ、沙々」

言祝はうなずいて、

「そう、過去わたりは危険《きけん》なんだ。先の世が変わってしまうおそれがあるから、信用できる者にしかまかせられない。しかし、天皇や舎人さまのようなご身分の方がご自分でなさるわけにはいかない。なぜなら過去わたりは、帰ってこられなくなることがあるからだ」

ひゅっと、沙々《ささ》ののどが鳴った。夕餉《ゆうげ》と白湯《さゆ》でせっかくあたたまった指先が、冷たくなっていた。

「さいわい、おれは帰ってきているから、そうなったことはないわけだが——なにせ、本来ならそのとき、その場所に、いないはずのおれたちだ。やっかいごとに巻《ま》きこまれて足止めを食らうと、帰る手だてを失ってしまう」

「帰ってこられなくなるって——むこうで、死ぬということ？」

「死体になるというより……、時のはざまにとけこむように、消えるらしい。そもそもいなかった者だから、そのとおりに影《かげ》もかたちもなくなるわけだ。おれが子どものころは、ここで四人の兄分《あにぶん》がいっしょに暮《く》らしていたんだが、今残っているのは、おれだけだ。……天皇《てんのう》や皇族貴《こうぞくき》族《ぞく》のお方が、そんなあぶない橋をわたるわけにはいかないだろう？」

おそろしいかと、言祝《ことほき》は聞いた。

「じょうだんじゃないって思うか？　おまえさんが望むなら、今からだって門部《かどべ》のところに連れていってやる。子どもひとりが、過去《かこ》わたりだなんだとわめいたところで、だれも本気にしやしない。おれたちは痛《いた》くもかゆくもない」

「……わからない」

沙々の口から、本心がこぼれでた。

「わからないよ。だって、過去わたりなんかしたことないもの。できるのかどうか、見たことだってないんだし。門部につきだされるほうが、よっぽどこわい」

どんな罰《ばっ》が待っているのだろう？　棒《ぼう》たたきか、石打ちの刑《けい》か。

そうでなくとも、門部の手で車借人《しゃしゃくにん》のところへもどされてしまったら、一発なぐられるだけではすまないにちがいない。かしらにだめだと言われたのに、真桑姉《まくわねえ》さんを助けるために飛びだしたのだから。

——それに。

今、沙々は気づいてしまった。

過去のできごとにかかわってはならないと、言祝は言う。だが、沙々が過去わたりをして、市で真桑姉さんがさらわれた事件《じけん》を防《ふせ》ぐことができたなら？

さらわれること自体をなかったことにできれば、真桑姉さんはおそろしい目にあわずにすむし、これからもいっしょにいられるのだ。

たしかに、過去わたりは危険《きけん》なのだろう。けれど沙々にしてみれば、真桑姉さんさえ守れたなら、二度とする必要はない。すぐに、ここから逃《に》げだせばいい。

「だからあたし、やるよ——過去《かこ》わたり」

言祝《ことほぎ》はほっと表情《ひょうじょう》をやわらげた。腕《うで》をのばして、沙々《ささ》の肩《かた》をたのもしげにたたく。

「おまえさんなら、そう言ってくれると思っていたさ」

「過去わたりをするときって、自分で何年のどの月、どの日に行くぞ、って決めることができるの？」

「星の位置を計算して、正確《せいかく》な星図をつくる。それでまちがいなく、めあての時間、場所にわたることができる。……ま、沙々は星図の心配は無用だ。おれがつくるんだから」

「星図のことも、あたしに教えて。知ってたほうがいいに決まってるじゃない？」

沙々のたくらみなど知るよしもなく、きげんよく言祝はうなずいた。

「さすが、ひとりで長屋王邸《ながやおうてい》に乗りこんできただけある。おれの見こんだ子だな」


二日、三日と過《す》ごしてみれば、言祝の住まいは、思いのほか居心地《いごこち》がよかった。冷たい土間で眠《ねむ》る必要はなく、衣服は清潔《せいけつ》で、食事はおいしかった。

言祝がまず沙々に命じたのは、宮中で働くための勉強と、女官《じょかん》としてのふるまいを身につけることだ。

玉虫《たまむし》はふだんほがらかだが、教えるとなるとべつで、手かげんはなくきびしかった。読み書き、宮中の作法、女官のたしなみ。さまざまなことを沙々は玉虫から学んだ。

それにくわえて、基本的《きほんてき》な星の読みかた、星図のかきかた——やるべきことはたくさんあった。覚えることは耳からこぼれるほどにたっぷりだった。月日は飛ぶように過ぎた。

気がつけば、ひとりで長屋王邸に乗りこんでから二年。

沙々は、十四歳《さい》になっていた。

五、舎人親王《とねりしんのう》

十四になった沙々《ささ》は、手足も身の丈《たけ》もいくらかのびたが、それでも同じ年ごろの少女たちにくらべれば、小柄《こがら》だった。

この二年、食べものにこまることなどなかったのに、ほおも二《に》の腕《うで》も、ふっくらしているとはいえない。玉虫《たまむし》が選んでくれた色のきれいな夏用の衣《ころも》も、沙々が着ると、いまひとつ引きたたないのだった。

それでも、髪《かみ》が汗《あせ》と砂《すな》ぼこりでもつれることはなくなったし、姿勢《しせい》のよい歩きかたも身についた。日ごと宮中の決まりごとを学び、星図さえ、かんたんなものならばかけるようになった。それなりに女官《じょかん》見習いとして成長していると、少なくとも自分ではそう思いたい沙々だった。

その日、沙々は手巾《しゅきん》を持たされて、玉虫と倉の整理をしていた。

明けがたまでふりしきっていた雨がやんでも、日ざしはないままだ。水と土のにおいが、ねずみよけのため高床《たかゆか》につくられた倉の内にも、しのびこんできていた。

「どうして、よく晴れた気持ちのいい日にやらないんですか?」

「こういった日にやるのがよいのです。ほこりがやたらに巻《ま》きあがったり、飛び散ったりしませんからね」

「へえ……」

がんじょうそうなとびらに守られて、倉にはいったいどんなお宝《たから》がおさめられているのだろうと期待したものの、高価《こうか》そうなものは見あたらない。

そのかわり、さまざまな色、かたちの衣が入った櫃《ひつ》がうなるほどにあった。ていねいに櫃のふたのほこりをぬぐい、開けて、中身に虫がついていないか、しみができていないかをたしかめる。

「こんなにたくさんの衣、なにに使うんです？」

「過去《かこ》わたりのときに着るのですよ。そのときどきで、あやしまれないかっこうをしなければ、命の危険《きけん》がありますでしょう？」

なるほどと思ったところで、階《きざはし》をのぼる足音が聞こえ、言祝《ことほき》が顔をのぞかせた。

「玉虫。これから沙々を連れて外に出たいんだが、手はすきそうか？」

沙々は勢《いきお》いよくふりかえった。

「外？　行く、行く！」

「おう、それじゃあついてこい」

「沙々《ささ》」

おそろしい声音でよばれた。おずおずとうかがうと、鼻にしわを寄《よ》せ、目をつりあげた玉虫《たまむし》が、こちらをにらんでいる。

――うわぁ、いのしし玉虫だ。

「言祝《ことほき》さまにむかって、なんて口の利《き》きかたですか。言祝さまは、あなたのご主人さまでございましょう?」

やってしまった。ばちんと、沙々は自分の口もとをおさえた。

「言祝さまも言祝さまです。そうやって甘《あま》やかしていらっしゃるから、いつになってもそざつな物言いがなおらないのですよ」

「いや、うちの中にいるときくらい、そこまでこだわらなくてもだな……」

「わたくしに女官《じょかん》教育をおまかせになっておきながら、そんなことをおっしゃいますの?　こうして横から連れていこうとなさいますし、まったく――」

沙々と言祝はふたりして、いつまでもつづきそうな玉虫のお小言から逃《に》げだした。

やなぎが気だるげに枝《えだ》をそよがせている。おおまたで歩く言祝におくれないように、沙々は小走りでついていった。玉虫が目にしたなら「走るなんてはしたない」と、眉《まゆ》をひそめるにちがいない。

「失敗したなあ。玉虫の前では、きちんとした言葉づかいでしゃべるようにしてたのに」

「おれがいいと言っているんだから、気にすることないぜ」

「あんまり玉虫をがっかりさせるのも悪いから、使いわけているの。でも、ひさしぶりに外って聞いたから、油断《ゆだん》しちゃった。……どこへ行くの？」

「舎人《とねり》さまのところだ」

「――ついに、親王《しんのう》さまのところ」

沙々は両手をにぎりしめた。

舎人親王のお務《つと》めにたずさわる女官になるようにと、日々学んできた沙々だった。史書編纂《ししょへんさん》のため、過去《かこ》わたりをするのだとも聞いていた。それなのにこの二年間、舎人親王にお目にかかったこともなければ、とくべつのわざで過去をおとずれることもなかったのだ。

だがようやく、きょうをさかいに、すべてが動きだす予感がした。

「おじけづいたか？」

言祝がにやにやと見おろした。

「おじけづいてなんかない」

「そいつはよかった」

――過去《かこ》わたりをすれば、真桑姉《まくわねえ》さんがさらわれてしまうのを、きっと止めることができる！　あれから二年もたってしまった。真桑姉さんはつらい思いをしていないだろうか？　助けに来ない弓足《ゆみたり》や沙々《ささ》のことを、おこってはいないだろうか？

だが、さらわれたというできごとそのものがなくなってしまえば、そんな心配をする必要もなくなるのだ。

――また、いっしょに暮《く》らせるんだ。

胸《むね》の中で、ぱちぱちと火花がはじけるようだ。沙々はひときわ強く、こぶしをにぎりこんだ。

平城宮《ならのみや》では、沙々が思っていた以上におおぜいの人びとが立ちはたらいていた。言祝《ことほき》の住まいは敷地《しきち》のはずれにあり、沙々はこれまでほとんど柴垣《しばがき》の外へ出ることがなかったために、あまりにめまぐるしい。

お宮とは、美しい鳥が遊び、花が咲《さ》き、きらめく池のそばで天人《てんにん》のような貴人《きじん》が言葉をささやきかわすところ――そんな幻想《げんそう》は、玉虫《たまむし》によって打ちくだかれていたものの、それでもまだ、沙々はうっすらまぼろしを思いえがいていたのだ。

しかし、くらくらするほどに多くの建物がならび、建物から建物へと官人《かんじん》がせわしなく行きかうようすは、天人の世界よりも市に似《に》ていた。

明けがたまでの雨のせいで、そこここに水たまりがある。人通りの多いところには、歩きやすいように砂《すな》がまかれている。よそ見をしていてぬかるみに足をとられた人が、あくたいをついている。

平城宮でもっとも重要な建物は、もちろん大極殿《だいごくでん》だ。元日の大礼《たいれい》や、外《と》つ国《くに》からの使節をむかえるなどのたいせつな儀式《ぎしき》のとき、天皇《てんのう》がおでましになるのだ。

その南に朝堂《ちょうどう》があり、政務《せいむ》のために五位以上の官人がつめている。さらにその南側には、式《しき》部省《ぶしょう》などの曹司《ぞうし》が建ちならぶ。下の位の官人は、朝堂ではなく、それぞれの曹司で仕事にあたっている。

言祝に案内されたのは、ある曹司の静かな一室だった。

大きなうるし塗《ぬ》りの卓《たく》いっぱいに、巻子本《かんすぼん》（巻物《まきもの》）、紙の束、木切れの書きつけがあふれている。

ひげをたくわえた大柄《おおがら》な男性《だんせい》が、言祝をいちべつした。流れるように礼の姿勢《しせい》をとる言祝のとなりで、沙々もあわてて頭を低くした。

「そやつが例の子かね？」

「はっ」

「おもてをあげさせよ。顔が見たい」

沙々《ささ》はおっかなびっくり顔をあげた。

舎人親王《とねりしんのう》と目が合った。とつぜんのことで、礼儀《れいぎ》として目をふせるべきだと思いだすまで、たっぷり時間がかかってしまった。まるで、へびににらまれたかえるの心地だった。

——お年を、めしていらっしゃる。

沙々は生まれてはじめて、貴《とうと》い血筋《ちすじ》のお方にまみえた。天武天皇《てんむてんのう》の皇子《おうじ》である舎人親王は、とびきりの貴人《きじん》にちがいない。

それでも、お姿《すがた》がまばゆく、光かがやいて天人《てんにん》のよう——とは、沙々にはどうしても思えなかった。白いものがまじったはえぎわ、しわの寄《よ》った目じり。真桑姉《まくわねえ》さんを連れさったお使いの男とどこがちがって貴いのか、よくわからない。

「緊張《きんちょう》のあまり、氷室《ひむろ》の氷みたいに固まっておるようです。ほら沙々、ごあいさつしなさい」

言祝《ことほき》に背中《せなか》をつつかれて、勢《いきお》いよく頭をさげた。

「たっ、たいへん失礼いたしました。沙々と申します」

「ふん……、采女《うねめ》とするには、いたらんな」

采女とは、天皇や皇后《こうごう》のもっとも近くにお仕えする、かしこくて気が利《き》き、なにより姿の美しさで選ばれる乙女《おとめ》のことだ。

「年が若《わか》すぎるでしょう。もとより采女になさるおつもりなど、みじんもございませんでしょうに」

「もう少し、美しいむすめはいなかったのか？」

沙々の背中にそえられていた言祝の指先に、いっしゅん、力がこもった。

「どれほど顔かたちが美しいむすめであろうとも、肝《きも》がすわっておらねば、この務《つと》めははたせるものではないと思われますので」

「それもそうだ。よくよくはげむように」

それきり、舎人親王の興味《きょうみ》は沙々からはなれたようだった。

「きょうはこちらにも、紹介《しょうかい》したい者がおるのだ。そちも聞き知ってはいるだろうが、会うのははじめてのはずだ」

「よびだしでもないかぎり、わたしは基本《きほん》、引きこもって星を読んでおりますから」

「分《ぶ》をわきまえるのはよいことだ。社交なぞ、そちには無用。だが長屋《ながや》どのの邸《やしき》には、たびたび足を運んでおるのではないかね？」

「星図のご依頼《いらい》がございますので。それに、長屋《ながや》さまのところには、なにかとよいものが集まるのです。墨《すみ》でも、紙でも」

「それはちがいない。よい米も、酒もな。――これ、そろそろ待ちくたびれたころあいだろう。仲丸《なかまる》、入りなさい」

身なりのよい少年がきりりと背筋《せすじ》をのばし、入ってきた。沙々《ささ》と同じ年ごろに見えるが、緊《きん》張《ちょう》もまよいも感じさせない、どうどうとした歩きぶりだ。

「藤原《ふじわらの》仲丸、まかりこしました」

口もとには、自信に満ちた笑《え》みがうかんでいる。

ほう、と、言祝《ことほき》から小さな声がこぼれた。

「うわさに聞く、武智麻呂《むちまろ》どのの？」

「いかにも、武智麻呂の次男坊《ぼう》だ。聡明《そうめい》に生まれついたようでな、今の半分の年にはすでに、わしらが読むものと同じ書物を読んでおったわ。古事記《こじき》にも通じておるぞ、講釈《こうしゃく》できるほどにな」

沙々はあっと声をあげかけた。藤原武智麻呂の子とはつまり、平城宮《ならのみや》でたいへん大きな力をもつ右大臣《うだいじん》、藤原不比等《ふひと》の孫ということだ。

少年――仲丸《なかまる》の視界《しかい》に、沙々《ささ》は入っていないらしかった。一度もこちらを見ようとはしなかったし、気にするそぶりもない。右大臣《うだいじん》を祖父《そふ》にもつ彼《かれ》にしてみれば、おそらく沙々など、道ばたのすずめと同じなのだ。

「仲丸は将来《しょうらい》、天皇《てんのう》をおささえする有能《ゆうのう》な腹心《ふくしん》となるだろう。むろん今はまだ、公《おおやけ》に任《にん》ぜられる年ではないが、われわれとともに史書編纂《ししょへんさん》にたずさわれば、学ぶことは多い。位階《いかい》をさずかったとき、こたびの経験《けいけん》が生きるだろう」

「もしや……、仲丸どのはわたしたちの務《つと》めを知っているのですか」

しんちょうに、言葉を選ぶようすの言祝《ことほぎ》だったが、いともあっさりと舎人親王《とねりしんのう》はうなずいた。

「知っている。自分も過去《かこ》わたりをしたいとまで言いおった」

言祝は目を見張《みは》って、

「危険《きけん》だということも、ご存《ぞん》じのうえで？」

「いくらかしこくとも、子どもは子どもよ。こやつの年ごろでは、危険と言われれば言われるほどに、手をのばしてみたくなるものであろう。むろん、仲丸を過去わたりさせることは、一度たりともあり得《え》ぬとも。もとより、われらがこのために欲《ほっ》しておったのは、女《め》の子《こ》だ」

そこでようやく、舎人親王はふたたび沙々を見おろした。

「邸《やしき》に仕える者としてとけこみ、食事まわり、寝所《しんじょ》まわりの世話をしてもあやしまれず、だれの記憶《きおく》にもさして残らぬ――そのためには、やはり女の子がよい」

「お言葉ですが、舎人さま。召使《めしつか》いのふりをしてとけこむくらい、自分だってしてみせますとも！」

はきはきと意見する仲丸に、沙々は驚《おどろ》いた。しかも、舎人親王も彼の態度《たいど》をとがめるようすはない。ただ、ゆっくり言いきかせるように、

「いくら年若《わか》くとも、男《お》の子《こ》ではいささか人目を引こう。仲丸の才気に目をつけられることもあるかもしれぬ。それではならぬのだ。なにより、そちの身を危険にさらしては、右大臣に顔むけができん」

むっと、仲丸のほおがふくれた。

舎人親王はこつこつと卓《たく》をたたいた。

「それに、ひとたび過去わたりをすればすむという話ではないのだ。仲丸も知っていようが、厩戸皇子《うまやどのおうじ》と蘇我《そが》による『天皇記《てんのうき》』、そして『国記《こくき》』という史書が、かつてはあった。われらの新たな史書編纂に、これほど役立つ資料《しりょう》はなかろうというのに、すべて失われてしまっている。蘇我蝦夷《えみし》めが自死する際《さい》に、邸に火をはなったために」

「つまり、過去《かこ》の世へわたって、燃《も》えてしまう前に、それらの書物を持ちかえればよいのですね？」

「――仲丸《なかまる》。そちの頭のめぐりがはやすぎて、そこの女《め》の子《こ》がついていかれずに、ぼんやりしておるぞ」

沙々《ささ》ははっきり顔が熱くなるのを感じ、くちびるをかんだ。

「沙々とやら。仲丸の申すとおり、過去わたりの成果として、『天皇記《てんのうき》』と『国記《こくき》』、合わせて十余巻《じゅうよかん》を手に入れたい。だが、過去のものごとは変えてはならぬ。どんなささいなことが天皇を、国をゆるがす大事につながるかわからぬゆえに。よって、『天皇記』と『国記』はそれらすべてが燃えおちた――そっくり消えても歴史《れきし》と食いちがうことのない、火事のさなかから持ちだすよりほかないのだ。これまでにいかほど、燃える蘇我《そが》の邸《やしき》に人をやったと思う？　のう、覚えておるか言祝《ことほき》？」

「四度《よたび》、にございます」

「そう、四度だとも。少ないと思うか、仲丸」

「はい。少ないように思われます」

「言祝よりも年長の、腕《うで》っぷしにも自信のある者どもが過去へわたり、書物を持ちかえらんとした。しかし蘇我の邸は、われらが考えておったよりも数段《すうだん》手ごわかったのだ。邸は広く、いくつもの倉があり、めあての史書を探《さが》しだす前に、ふたりは炎《ほのお》にまかれて命を落とした。もしくは、警備《けいび》の兵《つわもの》にきられたのかもしれぬ。いずれにしろ帰らなかった。ひとりはあやういと感じて引きあげてきたものの、重いやけどのせいでじきに息を引きとった。最後のひとりも、まよいこむよりはもどろうとしたのだろう。だが一歩間に合わず、こげた片腕《かたうで》がもどってきただけであったな」

　さすがの仲丸も顔色を白くして、おしだまった。

「このままでは、らちがあかない。――そこで、蘇我蝦夷《えみし》めが火をつけるより前の時機を選んでわたり、邸内《ていない》を図面におこすことにしたのだ。『天皇記』と『国記』が保管《ほかん》されている場所をあきらかにし、そこまでの道のりがあらかじめわかっておれば、炎から逃《に》げおくれることもなかろう。図面をつくるには、邸内を探《さぐ》らねばならん。目立たず、だれの気にも留《と》められない――そんな女の子に探らせればよい」

　舎人親王《とねりしんのう》から見おろされるまなざしが、重くのしかかるようだ。

「そのためにこの二年、言祝にそちをしこませておったのだ」

　すぐにひざを折り、頭をさげなければならないのに、沙々はそのまなざしから逃《のが》れられなかった。

「蘇我《そが》の邸《やしき》を探《さぐ》り、『天皇記《てんのうき》』と『国記《こくき》』のありかをあきらかにする務《つと》めを、沙々《ささ》とやら——そちに命じる」

立ちすくむ沙々の耳もとで、

「つつしんで拝命《はいめい》いたしますと言いなさい」

言祝《ことほぎ》がささやいた。それでも体が動かない。肩《かた》をそっと押《お》されて、ぎくしゃくとひざを折る。

「はっ……拝命、いたします」

答えた自分の声を、どこか遠くで聞いている気分だった。じわりじわりと、ことの重大さがしみわたる。

言祝の手伝いどころではなかった。

——親王《しんのう》さまから、じきじきに務めを命じられてしまった……。

しかも、過去《かこ》わたりに慣《な》れた大人であっても、おおやけどを負ったり、腕《うで》の一本しか帰ってこられなかったりという務めだ。沙々は燃《も》えさかる邸《やしき》へ行けと言われたわけではないが、あやしまれてむこうでとらえられれば、命をとられてしまうかもしれない。

——だからこそあやしまれないために、貴人《きじん》の近くに仕えていておかしくないふるまいを、玉虫《たまむし》から教わっていたんだ。

まったくおそろしくない、と言えば、それはうそだ。言祝にぶつけたい言葉が、胸《むね》のあたりでうなりをあげながらうずまいた。

――でも、真桑姉《まくわねえ》さんを助けるには、過去わたりしか方法がない！

そろそろと目をあげると、ひざをついた沙々をそのままに、舎人親王《とねりしんのう》も言祝もべつの話題に移《うつ》っていた。沙々にかかわる用事は終わったのだ。

卓上《たくじょう》の書きつけをあれこれ手にし、なじみのない言葉が飛びかう。それなのに、仲丸《なかまる》はやすやすと会話の中にとけこんでいた。

沙々はよろめきながら立ちあがった。舎人親王はまるで気に留《と》めていないふうだったが、仲丸はこちらを見た。はっきりとにらまれた。

「お飲みものを、持ってまいります」

それだけつぶやくようにつげると、沙々は部屋から逃《に》げだした。

六、ふたたび、別れ

飲みものを持ってくるとは言ったものの、そもそも、どこへ行けば用意できるかすらわからない沙々《ささ》だった。なにしろ、はじめての建物だ。

冷静になって考えれば、ここで働いている女官《じょかん》がすでに命じられているだろう。ふさわしいころあいになれば、水さしとくだものを持っていく段《だん》どりになっているにちがいなかった。親王《しんのう》さまが口になさるものを、沙々のようなたよりない女官見習いにまかせられるはずがないのだ。

沙々は外回廊《そとかいろう》に出て、なまぬるい夏風をほおに受けた。気持ちを落ちつけたくて、胸《むね》に手をあてる。

——右大臣《うだいじん》の孫の仲丸《なかまる》……、か。

ため息が出た。沙々のことが気に入らないと、彼《かれ》の顔にはっきり書いてあった。

——仲丸は高貴《こうき》な血筋《ちすじ》だから過去《かこ》わたりはだめだって、この務《つと》めは女《め》の子《こ》じゃなくちゃいけないって、そう決めたのは舎人《とねり》さまなんだから……。あんなふうに、にらむことないじゃない！

ちっとも優秀《ゆうしゅう》ではないくせに重要な務めをたまわった沙々をうらやんでいると、いやでも伝わってきた。

だが、そんな思いは筋ちがいというものだ。沙々はよろこんで拝命《はいめい》したわけではない。ただ、真桑姉《まくわねえ》さんを助けるために、過去わたりが必要なだけだ。

欄干《らんかん》にもたれて、ぼんやりとあたりをながめていると、ふと、人影《ひとかげ》に気がついた。しずしずと歩いてくるふたりの女官だ。まさに舎人親王と言祝《ことほき》のいる部屋に、命じられたものを運ぶところなのだろう。

なんとはなしに女官たちを見ていた沙々は、息をのんだ。

ひとりは水さしを手に、もうひとりは李《すもも》をもりつけた器《うつわ》をささげもっている。李をもつほうの女官を、沙々は食い入るように見つめた。

はなやかに化粧《けしょう》をし、あのころよりもほおがふっくらして見えるが、まちがいない。

「真桑……姉さん？」

ごとん！

器がすべり落ちて、にぶい音を立てた。はちきれそうにうれた、みごとな李がこぼれ、ころころと回廊を転がっていく。

なにごとかと水さしを抱《だ》きしめた女官《じょかん》は、沙々《ささ》と、自分のとなりとをかわるがわる見た。

「真桑姉《まくわねえ》さん！」

真桑姉さんは紅《べに》をさしたくちびるをわななかせ、ぱっと身をひるがえした。

「待って！」

ぼうぜんとしている女官のかたわらをすりぬけて、真桑姉さんを追いかける。

足にまとわりつくすそをからげ、李《すもも》をけとばし、角を曲がったところで追いついた。

「どうして逃《に》げるの？」

衣《ころも》をつかまれて、ようやく真桑姉さんは足を止めた。肩《かた》で大きく息をしながら、そでで顔をかくしている。

「どうか……、どうか、お見逃《みのが》しくださいまし。人ちがいにございます」

「人ちがいだったら、どうして顔をかくすの？　それに、知らない人なら逃げる理由だってないじゃない？」

大きく顔がそむけられたせいで、つやつやとした黒髪《くろかみ》のまげが、沙々の目の前に来た。まげにさされた挿頭《かざし》には、見覚えがあった。二年前――西の市で、貴人《きじん》のお使いの男が、みごとな包《つつ》み布《ぬの》とともにさしだしたものだ。

「その挿頭、いつもつけているの？」

ひっと、悲鳴のような息がもれる。

「姉さんがさらわれたときの……、だよね？」

ふるえながら、そでがおろされた。

こんなふうに会えるとは、思ってもみなかった。

沙々は飛びつきたい気持ちだというのに、真桑姉さんのほうは、そうではないらしかった。

どうしてよろこんでくれないのか、こんなにも泣きそうな顔をするのか、沙々にはわからない。せっかくの再会《さいかい》にも笑顔《えがお》を忘《わす》れてしまうほど、つらい日々を過《す》ごしたのだろうか。

やつれているどころか、髪も肌《はだ》もきれいだ。だれかにいじめられたり、ひどくこき使われたりしているようには、見えないというのに。

「ごめん……、なさい」

真桑姉さんの声は、今にも消え入りそうだ。沙々は首をかしげた。

「どうしてあやまるの？」

長いまつげをぬらし、おおつぶのしずくがほろほろとこぼれ落ちた。

沙々はどうしてよいのかわからなくて、真桑姉さんが泣きやむのを待った。

日は雲のむこうにかくれたままだったが、風は湿《しめ》り気《け》がぬけて、いくぶん身軽になったようだった。軒先《のきさき》のさげかざりの赤いひもがおどるようになびき、遠く鳥の声が尾《お》を引いた。

やがて真桑姉《まくわねえ》さんは細く長い息をつき、なみだのあとをぬぐいとった。

「とりみだしたりして、ごめんなさい」

笑いかけて欲《ほ》しいのに、真桑姉さんはあやまってばかりだ。

「沙々《ささ》は、どうして平城宮《ならのみや》にいるの？」

真桑姉さんがさらわれたあの日、助けようとして長屋王邸《ながやおうてい》に乗りこんだこと。けれどもそこに真桑姉さんはいなかったこと。陰陽寮《おんみょうりょう》の星読みにつかまってしまい、今はその人のもとで女《じょ》官《かん》見習いをしていること――かいつまんで、沙々はこれまでのいきさつを話した。

真桑姉さんはゆるゆると、かぶりをふった。

「長屋王さまのお邸《やしき》で見つかるはずがないわ。だって、わたしがさらわれていったのは、藤原《ふじわらの》武智麻呂《むちまろ》さまのお邸だったのよ」

沙々は目を見張《みは》った。

「それって……仲丸《なかまる》の？」

「まあ！　仲丸さまを知っているの？」

「うん、さっきまで同じ部屋にいたよ」

「わたしはきょう、仲丸さまのお供《とも》をしてお宮に来たの。仲丸さまの兄ぎみさまにお仕えしているのだもの」

――なんてことなの！

胸《むね》で炎《ほのお》が燃《も》えたつ音が聞こえるようだった。

仲丸はあんなすましたなりをしていたが、仲丸の兄は人さらいを命じて、沙々からたったひとりの姉をうばった悪人ではないか。

沙々は真桑姉さんの細い手首をにぎった。

今すぐいっしょに逃《に》げよう――言いかけて、その言葉を飲みこんだ。

人目につかない奥《おく》まったところまで来ていた。逃げだすのはむずかしくない。だが……、どこへ？

玉虫《たまむし》に助けを求めれば、ひと晩《ばん》くらいはかくまってくれるかもしれない。けれども沙々をあやしんだ仲丸が探《さが》しにくれば、きっと見つかってしまう。

車借人《しゃしゃくにん》のところへ駆《か》けこむなどできるはずがないし、したくもない。かしらにどなられ、なぐられ、仲丸の前につきだされて、終わりだ。

右大臣《うだいじん》の耳に入れば、たいへんな罰《ばつ》を受けることになるだろう――沙々《ささ》と真桑姉《まくわねえ》さんはもちろん、玉虫《たまむし》も、主人である言祝《ことほき》も。

――やっぱり、さらわれたことそのものをなかったことにしなくちゃ、だめだ。

沙々はそっと、真桑姉さんの手首をはなした。

そして、まだうるんでいる美しいまなこをのぞきこんだ。

「弓足《ゆみたり》は、会いにきた？」

真桑姉さんは、どこかが痛《いた》んだように体をこわばらせた。

「そんなこと……、かしらが許《ゆる》すわけないでしょう？　それに、わたしがどこへ連れていかれたかも、わからなかったのじゃない？　しょうがないわ」

「そっか……。ね、あと少し、あとほんの少しだけ、待っていて。ぜったいに助けるから」

「えっ？」

まばたくと、長いまつげが羽のようだ。

「あとちょっとのしんぼうだから。そうしたら、またあたしたち、いっしょに暮《く》らせるようになるからね！」

沙々は心強く見えるようにほほえんでみせ、立ちさろうとした。

しかしこんどは、真桑姉さんが沙々の手をつかんだ。

「沙々は――これまでずっと、わたしを助けようとしてくれていたの？」

「もちろん。当然でしょ。それが、どうかした？」

真桑姉さんはゆっくりと首を横にふった。挿頭《かざし》のこまやかな細工が、しゃらしゃらとささやくような音を立てた。

「ごめんなさい。もう、助けようなんて思わなくてだいじょうぶよ」

――えっ？

なんと言われたのか、沙々はわからなかった。

聞こえていなかったわけではない。声は耳に届《とど》いているのに、言葉の意味がしみいることなく、すべり落ちていったのだ。

「わたし、お邸《やしき》でとってもよくしていただいているわ。おやさしいし、もったいなくも気にかけてくださるし、こまっていることなんてない。今がしあわせなの。だから――わたしのことは、このままそっとしておいてちょうだい」

「おやさしいって、だれが？」

真桑姉さんは、白い顔を花のように薄紅《うすべに》に染《そ》めた。

「仲丸《なかまる》さまの兄ぎみさまよ」

真桑姉《まくわねえ》さんのこんな顔を、前にも沙々《ささ》は見ていた。弓足《ゆみたり》と思いが通じあったのだと、うれしそうに教えてくれたときのことだ。

それで、沙々にもわかってしまった。真桑姉さんは、仲丸の兄ぎみさまのことが好きなのだ。弓足のことはおそらく、真桑姉さんの中でとっくに――もう二年前に――かたづいていた。

弓足は、かしらのひと声であきらめてしまった。とても真桑姉さんを助けに行ってはくれないだろうと思ったからこそ、沙々は身ひとつで飛びだしたのだ。

――真桑姉さんまで、心変わりしたというの？

沙々が過去《かこ》わたりをし、さらわれるのを防《ふせ》いだなら、真桑姉さんの今のしあわせがはじまることさえなく、永遠《えいえん》に失われることになる。

――あたしといっしょに暮《く》らすより、今のしあわせが、だいじなんだ……。

めまいがした。たいせつににぎりしめ、守りつづけていたものが、たよりなくくずれ、沙々の指のあいだからこぼれ落ちていくようだった。

だれよりも真桑姉さんをとりもどしたいと、またいっしょに暮らしたいと願っていたはずなのに、今は真桑姉さんのそばにいることがつらかった。

「沙々もよいおうちに置いてもらっているようで、安心したわ。わたしのことはもう気にしないで、これからはあなたの……、沙々？」

耳をふさいだ。声を聞くことさえ苦しい。

ふらふらと外回廊《そとかいろう》を歩き、とつぜん、たまらなくなって走りだした。

「沙々！」

「さよなら！」

廊《ろう》をつっきり、外へ飛びだし、曹司《ぞうし》のあいだを駆《か》けぬけた。広い場所に出ると何人かが驚《おどろ》いたふうにふりかえったが、髪《かみ》が乱《みだ》れてもすそがひるがえっても、かまいはしなかった。

——どうにでもなればいい。

ばかみたいだ。

ひとりでさわいで、心配をして、この二年間、真桑姉さんのためだと思っていたことが、ぜんぜんそうではなかった。ただのからまわりだ。

頭のどこかでは、真桑姉さんが悪いわけではないとわかっていた。

それでも、ひどいうらぎりとしか思えなかった。沙々の胸《むね》はぱっくり傷口《きずぐち》を開けて、塩からいなみだがひりひりしみた。

このままだれにも知られずに、だれも知らないところへ行ってしまいたい――だが、そんなあてなど沙々《ささ》にはない。

走りつかれ、息が切れた。なみだでぬれそぼった顔を見かねたのか、ひとり、ふたり、心配そうに声をかけてくれた。それらもぜんぶ、うっとうしかった。

けっきょく、言祝《ことほき》の住まいにもどることしかできなかった。

「まあ！」

あちこちほつれた髪《かみ》、真っ赤な目、なみだでぐずぐずの顔――玉虫《たまむし》の小言を夕立のようにあびながら、顔を洗《あら》い、ぬらした手巾《しゅきん》で目もとを冷やした。

「どこぞの子とけんかでもなさったの？　ほら、そんなふうにこすってはなりません、まなこに傷《きず》がつきましてよ。手巾がぬるくなるまで、じっとしていらっしゃいまし」

夏だというのに、指先がかじかんだ。奥歯《おくば》がかちかちと鳴る。

玉虫はとちゅうから、なにかを察したのか、はたりと小言をやめた。

「……おつかれなのでしょう。白湯《さゆ》を一服したら、もうおやすみなさい」

沙々は薄布《うすぬの》に頭からくるまって、目をとじた。まぶたのうらに、ほおを赤くしてはにかんだ真桑姉《まくわねえ》さんがうかぶ。

そんな顔など二度と見たくなくて、ぎゅうぎゅうとまぶたをとじあわせ、暗闇《くらやみ》にぬりこめた。

知りたくなかったのに、知ってしまった。

真桑姉さんにとってすら、今や、沙々はいらない子になったのだ。

七、瑠《る》璃《り》色《いろ》の氷《ひ》室《むろ》

遠く、くぐもった声が聞こえる。ぶ厚《あつ》い霧《きり》のむこうから、だれかによばれているらしい。霧をかきわけようと思うのに、腕《うで》が思うように動かない。息が苦しい。ここにいると答えたくても、声が出せない。

――どうして、こんなところにいるのだっけ。

おぼろげながら、自分から霧の中にとじこもったような覚えがある。見たくないものを見て、知りたくなかったことを知ってしまった。だから、小さく、小さく体を丸めて、霧をまとって守っているのだ。

それなのに、よび声は沙々《ささ》の心をざわつかせた。

春のおとずれとともに、安全な土の下から危険《きけん》な地上へとはいでる虫の気持ちがわかる気がした。

――ああ、外に出なければ。

沙々がもがいていると、たちまち霧が消えさった。驚《おどろ》いてはね起きる。

――あれ？

「いったい、どれだけよべば目を覚ますんだ？　ったく……、かってに姿《すがた》をくらますから、肝《きも》がつぶれたぞ」

土の下の虫のようにぎゅうと丸まって、眠《ねむ》っていたのだ。霧だと思われたのは頭からかぶっていた薄布《うすぬの》で、それを言祝《ことほき》がはぎとったのだった。

「目が赤いな。夢《ゆめ》の中で、いやな思いでもしたか？」

「うん……。そう、ちょっとだけ」

沙々は鼻をすすった。ちょっとどころではないのは、沙々がいちばんわかっていた。

――夢だったなら、よかったのに。

さびしさと、真桑姉《まくわねえ》さんへのなんともいえないどろどろとした気持ちがまだ、胸《むね》から腹《はら》にかけて重たくいすわっている。

言祝は眉根《まゆね》を寄《よ》せ、しばらく沙々を見おろしていた。やがて、わざとらしく大きなため息をつくと、薄布を丸めてほうりなげた。

「だまって帰ったことをみっちりしかりたいのはやまやまだが、今すぐおれの言うことを聞くのなら、許《ゆる》してやる」

「おれの言うこと、って？」

「ついてくるんだ。ほら、上着をとってきて、きりきり身づくろいをしろ」

「今すぐ、なの？」

窓《まど》の外を見やると、宵《よい》のとばりがおりかけているところだ。思った以上に長く眠《ねむ》ってしまったらしい。

だが、たとえ日の明るいころあいだったとしても、きっと立ちあがる気力はわいてこない。それほどにおっくうだった。

「やだよ。そんな気分じゃ、ない」

真桑姉《まくわねえ》さんがさらわれたこと自体をなかったことにするために、過去《かこ》わたりを利用しようとした沙々《ささ》だった。

だというのに、真桑姉さんがそれを望まないのなら、沙々が危険《きけん》をおかしてまで過去わたりをする意味はなんだろう？

「沙々……、おまえさんは毒《どく》へびにかまれたとき、今は気分じゃないからって、手あてをあとまわしにするのか？」

肩《かた》をゆさぶられて、沙々は言祝《ことほき》の目を見た。

「毒へびなんて、今、ぜんぜん関係ないよ」

「いいや、おおありだね。痛《いた》くて動きたくないからあとにしよう、苦しいから休んだあとでいいやと、そのままにしておいたなら、手おくれになる。毒は体じゅうにまわって、すべてがぐずぐずになり、ついに動けなくなってしまう。そうなる前に毒をぬく必要があるって、わかるだろう？」

「そりゃ、毒へびにかまれたんだったら、そうかもだけど……」

「おんなじだ。おまえさんの中にあるどろっどろを、一刻《いっこく》もはやくぬいちまわないといけない。でないと、とくべつな務《つと》めをやりとげる女官《じょかん》になんて、なれっこないさ」

言祝のまなざしは沙々を射《い》ぬくようだった。

「『拝命《はいめい》します』とその口で言ったからには、おまえさんは、とくべつな務めを引きうけると親《しん》王《のう》さま相手に約束したんだ。命じられて、拝命したのはほかのだれでもない、沙々なんだよ。沙々でなければいけない務めなんだ」

その言葉は、草一本生えないうつろな砂地《すなじ》のようになった沙々の胸《むね》にもしみた。

「あたしでなければ――いけない務め」

沙々はけっきょく、かしらにも真桑姉さんにも、必要とされなかった。だが、言祝がそう言ってくれるのなら、ここにいてとくべつな務《つと》めを——過去《かこ》わたりをしてもいいのかもしれない。

「……わかった」

沙々《ささ》がうなずくと、言祝《ことほき》の目もとはゆるんだ。

「よし！　待っててやるから、十数えるあいだに身づくろいしてこい」

「十だけ！」

上着をはおり、乱《みだ》れた髪《かみ》をなでつけ、衣《ころも》のすそを引っぱってしわをのばし、沙々は言祝が待つ廊《ろう》に飛びだした。すぐさま歩きだした言祝のあとを、あわてて追う。

「で、どこへ行くの？」

ついてこいと言われたものの、なんのためにどこへ連れていかれるのか、聞かされていない沙々だった。

「氷室《ひむろ》だ」

思わず、聞きかえす声が大きくなった。

「ここに氷室があるの？」

「ああ、地下にな」

これまで二年も住んでいたのに、沙々はこのときはじめて知った。

「氷室があるってことは、けずり氷を食べられるの？　甘《あま》いみつをかけたやつ。おいしいんでしょう？」

「そういうための氷室じゃない」

「氷をとっておくためじゃない氷室って、どんな氷室なの？」

「過去わたりをするための氷室だ」

――過去わたりを、するための？　どういうこと？

言祝は沙々を連れて外に出て、井戸水をくんだ。桶《おけ》を手に、今朝沙々たちが整理をしていた倉の前までやってくると、階《きざはし》をのぼらずに、高床《たかゆか》をささえる柱のうらを指さした。

「ここだ」

砂《すな》をよけると木目があらわれた。その木ぶたの下、暗がりの中へと石段《いしだん》がつづいている。

「とくべつな務めを負う者にのみ知らされる、とくべつあつらえの氷室だ。他言無用だぞ」

倉の真下に氷室があるだなんて、だれが想像《そうぞう》するだろう？　万一盗人《ぬすびと》がやってきたとして、目をつけるのは、柱の上の倉だけにちがいない。

言祝はためらいなく石段をおりはじめた。

「明かりは持たないの？」

「天地《あめつち》開かれたいにしえから、水気と暗がりは、常《つね》ならぬ場所への入り口と決まっている。そういうところへ火明かりを持ちこむのはよくないのさ。――だいじょうぶだ、すぐに慣《な》れる。まあ、最初だからおれのそででもつかんでいろ」

言われたとおりに片手《かたて》でそでをつかんで、木ぶたをもとどおりにしめた。たちまち視界《しかい》は黒一色でぬりこめられ、言祝《ことほぎ》の気配だけが命綱《いのちづな》だった。

おそろしい冷気がはいのぼってくる気がする。まるで、死者の国へとくだっていく道行きのようだった。

しかし言祝の足どりにまよいはなく、沙々《ささ》はおそろしさを頭から追いやるために、石段《いしだん》をひたすら数えた。

数えることに夢中《むちゅう》になるあまり、石段が終わっても自分の歩数を数えてしまっていた。

「ついたぞ」

あっとわれに返ったときには、勢《いきお》いあまって、言祝の背中《せなか》に鼻をぶつけていた。

「ここにかんぬきがある……。長い棒《ぼう》だ。こいつを右へずらして戸を開ければ、氷室《ひむろ》だ。夏でもだいぶ寒いが、こごえるなよ」

思った以上に長かったかんぬきを、苦労してはずした。戸がわずかに動いただけで、亡霊《ぼうれい》じみた冷たさがすきまからすべりだし、沙々は小さく悲鳴をあげた。

「けずり氷とかなんとか言ってたやつが、いちいちびくつくな。ここは暗くて寒いが、べつに死者の国ってわけじゃない。氷室なんだ」

心のうちを見すかされてしまい、沙々の耳は熱くなる。

「それに、中に入ればおそろしさなんてふっとぶぜ。このとくべつの氷室は、天《てん》武《む》天皇《てんのう》のおぼしめしでつくられただけあって、なかなか見ばえがいいんだ」

――真っ暗なのに、見ばえがどうこうするというの？

しかし、言祝の言ったとおりだった。

「わあ……！」

すきとおった青が、天のむこう側の瑠《る》璃《り》色《いろ》が、沙々のすべてを包みこんだ。

星空の海に、舟《ふね》でこぎだしたかのようなながめだった。

天井《てんじょう》も、床《ゆか》も、壁《かべ》も、すべてに青と銀の星がちりばめられ、かがやいている。床にふれると、冷たくてつややかだ。切りだしてみがいた石なのだろうが、こんなにも美しく、みずからかがやく石なんてあるのだろうか。

藁《わら》にくるまれ、そこかしこに積みあげられた氷は、さながら夜空にそびえる岩山だ。

あたりは星月夜《ほしづきよ》のようにほの明るい。言祝《ことほぎ》がくちびるのはしにうかべている笑《え》みさえ見てとれた。

夜空にふさわしく、天井《てんじょう》には満月のような巨大《きょだい》な白銀の円があった。しかし月だと思ったのはわずかのあいだで、沙々《ささ》にはすぐにぴんときた。

――北斗《ほくと》に北極五星《ほっきょくごせい》……星図だ。

銀色の円の中に、金の箔《はく》で丸と線の星宿《せいしゅく》がえがかれている。沙々の知らない星宿も、いくつもあった。

あまりに美しく、あまりに精密《せいみつ》で、寒さのせいではなしに鳥肌《とりはだ》が立った。

「これは……ほんとうに、すごいね」

「だろう？」

言祝が星図の真下に進みでたので、沙々も彼《かれ》にならった。

床《ゆか》にはちょうど天井と対になるように、目の覚めるような青の円がはめこまれていた。この世の美しい青という青の中からよりすぐったように思われるそれは、なんと、真正《しんせい》の瑠璃《るり》でできているらしかった。

「……少しは、気が晴れたか？」

「えっ？」

「腹《はら》の中でとぐろを巻《ま》いておまえさんを苦しめていた毒《どく》は、ぬけたか？」

そういえば、氷室《ひむろ》の驚《おどろ》きがあまりに大きく、沙々《ささ》の中身は瑠璃色《るりいろ》の清水《しみず》に洗《あら》いながされたかのようだった。昼間のいやあな気持ちは、さっぱり消えさったわけではないけれど、川辺に引っかかったちっぽけなはぎれ程度《ていど》に――おとなしいものになっていた。

「いいか沙々。過去《かこ》わたりには危険《きけん》がつきまとう。よくないものをためこんだまま過去わたりをしたとして、いざというときに動けるか？　よけいなことを考えてしまって、注意がおろそかになるだろう。だから、そういうものは早いうちにとっととはきだしてしまえ。小さなおまえさんの中にたまった程度のものなんぞ、おれと玉虫《たまむし》でしまつしてやる」

沙々は、こんなことを口にする大人がいることにびっくりした。

ひどいことをされても、つらい気持ちになっても、がまんをするのはあたりまえだった。かしらになにかを言ったところでものごとがよくなるわけはなく、げんこつが飛んでくるか、食事がぬきになるかだった。真桑姉《まくわねえ》さんには、とても言えなかった。ただでさえたいへんな日々だったから、沙々のせいでわずらわせたくなかったのだ。

「気晴らしはだいじだぜ？　おれだってためこむばかりじゃ、兄分《あにぶん》が次つぎとお務《つと》めに失敗していったのを、乗りこえることなんてできなかったさ」

言祝《ことほき》は沙々の背中《せなか》をぽんぽんとして、床《ゆか》の一点を指さしてみせた。

瑠璃の円の中ほどに、ずんぐりと丸いものがある。なんだろうとのぞきこむと、黒曜石《こくようせき》をくりぬいた水盆《すいぼん》だ。氷室の冷たさのために、表面がうっすらくもっている。

「さっきくみあげた井戸水で満たして、正確《せいかく》な場所と月日の星図をしずめるんだ」

水盆の底に、言祝はふところから出した星図を、しわをのばして入れた。星の位置から、つい最近のものだと沙々にも見当がついた。

「過去わたり……、するの？　今から？」

「わたりはしない。ちょいと、きのうをのぞかせてやる」

「きのう？　わざわざのぞくほどじゃないんじゃない？」

「あのな。はじめてのくせに、いきなり何年も何十年も過去にわたらせてやれるわけがないだろう。まずは手順を覚えることからだ」

かすかに墨《すみ》の香りが立ちのぼる。

「さあ、気持ちを平らかにするんだ」

言祝の手は水盆の水をすくいとり、

「天は地を映《うつ》し
地は天を映す
清流《せいりゅう》　漏刻《ろうこく》　箒星《ほうきぼし》
水は流れ　星も流れ　時も流れども
水は水面《みなも》に星を留《とど》めて　その時をも留めん」

となえながら、四方にある貝のかたちをした香炉《こうろ》のようなものにふりかけた。

水がかかると、火の気もないのに貝の口からぱっとけむりがあがった。くさりかけのくだもののような、甘苦《あまにが》いにおいがただよう。四方の香炉からはきだされたけむりはうずを巻《ま》き、やがて瑠璃《るり》の円をとりかこんだ。

言祝《ことほき》は水盆《すいぼん》のかげから、細長いものをとりだした。それは藁《わら》の包みだったが、中からすらりとあらわれたのは、氷でできた剣《つるぎ》だ。

「いいか沙々《ささ》、よく見ておけ。星図と氷の剣が、過去《かこ》わたりの肝《きも》だ」

氷の剣が、水盆にしずめられた。剣は水と一体となり、底まですきとおって、ひたされた星図がくっきり見える。

せつな、言祝は水に右手を入れたかと思うと、しずめたばかりの氷の剣をにぎり、横に一線、ふりぬいた。けむりのとばりはまるで絹地《きぬじ》のように、ぱっくり裂《さ》けた。

けむりの裂け目のむこうに見えたのは、氷室《ひむろ》の青い星の壁《かべ》ではなかった。柴垣《しばがき》のうちにたたずむ見慣《みな》れたやなぎの木が、ざあざあふりしきる雨にぬれそぼっている姿《すがた》だ。

「雨があがったのは、今朝がただからな。あんな勢《いきお》いでふっているってことは、きのうなんだってわかるだろう？」

沙々は雨へと手をのばしかけ、はっとして引っこめた。見慣れたやなぎなのに、この世のものではない景色を見ているような、ふしぎな心地だった。

言祝は剣を藁でくるみなおして、ふところに押《お》しこんでみせた。

「過去わたりをしたときは、氷の剣がとけきってしまう前に氷室へ帰らなければいけない。剣がすべてとけきるのと、この裂け目がとじきるのは同時なんだ」

剣を藁でくるむのは、少しでも長くもたせるため。氷室の中に置かれているときでさえ、氷は藁やおがくずで守られているものだ。

「そもそも過去わたりは、過去の世にいつづけるためのものじゃない。流れる水、流れる星、流れる時というものを、氷というかたちに留めることで、氷がとけきるまでのあいだだけ、星がしめす過去にいられるようにする術《じゅつ》だ。だから、もとよりそのとき、その場所にいないはずの者が、いつまでもいつづけられるはずがないんだ」

「間に合わなかったら――どうなるの？」

「もちろん、置いてけぼりさ」

「前にも……、あたしがはじめて言祝《ことほぎ》に会った夜にも、言ってたね。帰れなくなることがあるから、身分の高い人は過去《かこ》わたりをしないんだって」

「よく覚えてたな。上等だ」

「だれかがむかえに来てくれたりは、ないの？」

「ないな」

　言祝は考えるそぶりすら見せなかった。

「どうして？」

「間に合わないからだ。どんな理由で帰れなくなったのかを残された者が知るすべはないし、探《さが》しているうちにふたりともが帰れなくなったら、大損《おおぞん》だろう？　だから捨《す》てておけと命じられている」

「か、片腕《かたうで》を入れたところで、とじちゃった人は？　その人なら、助けられたかもしれないのに！」

「こげた片腕、だよ。しかも、肩《かた》に近いところからだった。けががひどすぎて、どのみち助からなかっただろう」

「…………」

「そんな顔をしたって、なんにも変わらないぜ？　氷の剣《つるぎ》がとけきるまでしかいられない、とけたら裂《さ》け目《め》も消える、これはぜったいだ。氷がとけきったら、おそかれ早かれ、置いてけぼりの人間がゆるゆると消えはじめるんだと、おれは教わったよ」

おそろしいことを、なんでもないことのように言うのだった。

「さあ、きょうはこれでしまいだ」

ふところに入れたばかりの包みをとりだし、むぞうさに藁《わら》をむくと、言祝は氷の剣を水盆《すいぼん》へと落とした。大きなしぶきがあがるかと思いきや、まるで飲みこまれるかのように、静かに剣は水に消えた。裂け目もぷつんと消えうせた。

「帰って、うまい汁物《しるもの》で体をあたためるぞ」

さしのべられた手を、沙々《ささ》はおっかなびっくりにぎりかえした。

八、沙々《ささ》がたまわった務《つと》め

ふってはやみ、やんだと思ったとたんにまたふりだす雨の日々だった。

ようやくの晴れ間、沙々《ささ》はふたたび言祝《ことほき》に連れられて、舎人親王《とねりしんのう》のもとへと参上していた。いやなことがあればはきだしてしまえと言われたとはいえ、「親王さまのところへ行きたくない」とは、さすがに言いづらかった。それでも、

――真桑姉《まくわねえ》さんに会いたくない。

これが沙々の本心だった。今にも曹司《ぞうし》の角を曲がって、真桑姉さんが姿《すがた》をあらわすかもしれない。沙々を見るなり、また逃《に》げられてしまうかもしれない。

真桑姉さんにとっていらない子だと二度もつきつけられるのは、とてもたえられない。にぎりしめた手は汗《あせ》ばむのに、うなじも背筋《せすじ》も冷たかった。

参上し、息を殺《ころ》すようにして部屋のすみにひかえていた沙々は、だれもが沙々を気にしなくなったころあいを見計らって、そっとぬけだした。

回廊《かいろう》のはてらしい、竹のしげみがおおいかぶさっているうらさびしいところまで来て、よう

やくまともに息ができるようになった。

なまぬるい風でも、今はないより心地よい。胸《むね》いっぱいに竹のにおいをすいこみ、ゆっくりとはきだした。

――きょうも、仲丸《なかまる》が来てたな。

沙々は仲丸が苦手だ。真桑姉さんをさらった家の子だということも大きな理由だが、そのうえ、仲丸にはにくまれているにちがいなかった。同じ部屋にいるだけで、彼《かれ》の針《はり》のような視線《しせん》に百回はさされて、全身が穴《あな》だらけの思いをするのだ。

ここなら、ひとりきりになれる。真桑姉さんと出くわしてしまう心配もない。

水たまりに映《うつ》りこんだ欄干《らんかん》は、朱色《しゅいろ》がところどころはげていて、みすぼらしく見える。風で、竹の枝葉《えだは》がこすれるからだろう。だれも来ないような場所だから、きっと気づかれることもなく、塗《ぬ》りなおしもされないままなのだ。

――ぬけだしたこと、そろそろ言祝にばれるかな？　もう少しだけここで休んでから、部屋までもどろう。だれかに見つかったりしないように気をつけて……。

影《かげ》がさした。早くも言祝が探《さが》しに来たのかと顔をあげて、沙々はそのままこおりついた。

「こんなところに入りこむだなんて、とんでもないまいごだな」

言祝《ことほき》ではなかった。仲丸《なかまる》が、にやつきながらこちらを見ているのだ。

「それなりの一族の子なら、うわさくらい耳にするはずだ。それなのにまったく聞かないどころか、調べても沙々《ささ》なんて名前、ちらとも出てこなかった。つまり、とるにたらない出自なんだろう？　それなのに、舎人《とねり》さまからじきじきに務《つと》めをたまわるだなんて、なまいきにもほどがあるね」

仲丸は沙々をいたぶるように、いやな目つきでためつすがめつしている。

しかし沙々は、おとなしく頭《こうべ》をたれている気分ではなかった。風にあたり、心を見つめ、なんとかしずめようとしていたもののふたが、仲丸の出現《しゅつげん》によってはじきとばされてしまったのだ。

――わざわざいやみを言いたくて、あたしを探《さが》しに来たの？

――真桑姉《まくわねえ》さんを、あたしからうばったくせに！

ふつふつとたぎる怒《いか》りの炎《ほのお》が鎌首《かまくび》をもたげ、牙《きば》をむいた。

「出自もなにも、あたしは身寄《みよ》りがありません。両親も――たったひとりの家族だった姉も、もういないんです。でも、親王《しんのう》さまから拝命《はいめい》したのは、『沙々にしかできない務め』だって言われました。とるにたらない出自だからこそできることだって、あるんじゃないですか？」

「そんなもの、あるわけないだろう」

仲丸は鼻で笑った。

「高貴《こうき》な生まれのわたしにできなくて、おまえにできることなんて、考えられない」

「そうでしょうか」

彼《かれ》の祖父《そふ》は、沙々も言祝もひとひねりの権力《けんりょく》をもつ右大臣《うだいじん》――そんなこと、頭から吹《ふ》きとんでいた。沙々は息をすいこみ、まくしたてた。

「あかぎれができるまで、洗《あら》いものができますか？　おなかがすいたとき、足もとの草を食べられますか？　どれが食べられる草で、どれがおなかをこわす草か、わかりますか？　けがやぐあいの悪いとき、助けてくれるあてがなくても、がまんできますか？　……そういうことができないのに、人に仕える下っぱの役だなんて、務まりっこないです」

仲丸があっけにとられていたのはつかのまで、すぐに耳まで赤くなった。

「おまえのぶんざいで、そんな口を利《き》くな！」

「あたしのようなぶんざいに、わざわざお声をかけていただかなくてけっこうです！」

顔をそむけた。

「ひとりにしてください。頭を冷やしたいんです」

そう歯のすきまからしぼりだすだけで、せいいっぱいだった。こぶしをきつくにぎって、こらえる。少しでも気をゆるめれば、怒《いか》りはたちどころに沙々《ささ》を飲みこんで、わめきちらしてしまうだろう。

立ちさってくれるように念じていたのに、あろうことか、仲丸《なかまる》は沙々の腕《うで》をつかんだ。

「おまえは……、できるのか？」

仲丸の声がわずかにふるえている。

「草を見わけるとか、助けてもらえないのをがまんとか」

つかまれていた手を、沙々はふりはらった。

「そうしてきたんです。二年より前は、食事にありつけなくて草をつんで食べるのは、しょっちゅうでした。苦しいとき、だれに助けを求めればいいと思います？　ろくでもない人に声をかけてしまうと、助けられるどころか、なぐられたり、けとばされたりでけががふえるんですよ。だから、自分で気をつけなくちゃいけない。なんにもしなくてもみんなが心配をして、手をさしのべてくれるなんて、そんなのはひとにぎりの貴人《きじん》だけです」

たじろいだ仲丸だが、たちまち彼《かれ》の目にも怒りが燃《も》えた。

「無礼千万だな！　父上に言いつけてやる。好きなだけ頭を冷やしていればいいさ！」

どんと、強く肩《かた》を押《お》された。つきとばされたのだ。

沙々の手が、どこにもつかまりそこねて宙《ちゅう》を泳ぐ。ささえを失った体は、低い欄干《らんかん》をやすやすとこえてしまった。

仲丸の目が、びっくりしたように見開かれた。水たまりから大きなしぶきがあがる。沙々の顔に泥水《どろみず》がふりそそぎ、苦い味がした。

水たまりに横たわったまま、沙々は、走りさる仲丸の後ろ姿《すがた》を見送った。泥が流れて目にしみた。なみだが出た。衣《ころも》も、髪《かみ》も、ひどいありさまだ。水気をすったそでは重く、沙々を水たまりの中にぬいつけていた。

言祝《ことほき》は、沙々が水たまりの中で泥にまみれているだなんて、思いもしないだろう。姿を消した沙々に腹《はら》を立てながら、ひとりで帰ってしまうにちがいない。

――真桑姉《まくわねえ》さんにも、言祝にも置いていかれるだなんて……。あたしは、そういう星のもとに生まれちゃったのかな。

ただの水たまりにつかっているだけのはずなのに、あの氷室《ひむろ》よりも、こごえてしまいそうだ。あれほど燃えさかっていた怒りの炎《ほのお》も泥水に負けてしまったのか、沙々は立ちあがる気にさえなれなかった。

目の奥《おく》がずきずきと痛《いた》みだし、まぶたを開けていることがおっくうになった。やがて視界《しかい》だけでなく意識《いしき》も、深い暗闇《くらやみ》の底へ、底へと、落ちていった。

らしくなくあわてふためいてもどってきた仲丸《なかまる》に教えられ、言祝《ことほき》が駆《か》けつけたとき、沙々《ささ》の体は冷えきっていた。水気をたっぷりすった衣《ころも》に、体の熱をうばわれてしまったのだ。

沙々はもうろうとしながら、言祝が自分を小さな子のようにかかえて走るのを感じた。だがすぐに、また、なにもわからなくなり——次に気がついたときには、寝具《しんぐ》にくるまれていた。

沙々は熱を出した。

頭は石を打ちつけられているように痛み、のどがはれて、息をすることさえ苦しかった。玉《たま》虫《むし》があたたかくなるよう気を配ってくれたのに、ふるえはなかなか止まらなかった。

言祝は、玉虫にたいそうしぼられていた。

「氷室《ひむろ》へ行ったと聞きましてよ。あそこへくだる石段《いしだん》、あれなどまるで黄泉平坂《よもつひらさか》（死者の国、黄泉《よみ》へとつづく坂）ではありませんか！　そのときに、死病にとりつかれたのかもしれませんのよ？　沙々はまだいとけないのに、やはり過去《かこ》わたりなど早すぎたのです」

「いとけないって……、もう十四だぞ？」

「まだ十四なのです！」

　せめて病人の枕《まくら》もとで言いあうのはやめてほしかったが、はれあがったのどのせいで、思うように声が出ない。

「外《と》つ国《くに》のあやしいわざなんて、わたくしはもとより信用ならないと思っておりました」

「あやしいわざじゃない。天文も地相《ちそう》も遁甲《とんこう》も、れっきとした技術《ぎじゅつ》だ。天皇《てんのう》はそれをよくご存《ぞん》じだからこそ、陰陽寮《おんみょうりょう》を置いていなさるんだ」

「れっきとした技術なら、危険《きけん》だ、危険だとおっしゃるのも、おかしな話じゃございませんこと？」

「おまえさんのわざのほうが、よっぽどあやしく見えるぜ。ひどいにおいと色の草の汁《しる》、あんなものは沙《さ》々《さ》の熱を冷ますどころか、毒《どく》になるんじゃないだろうな？」

「まあっ！　典薬寮《てんやくりょう》も薬園をもっておりますし、薬草薬木でいやすわざは、古く神代《かみよ》から伝わるものですのよ。古事記《こじき》を思いだしなさいまし。皮をはがれてしまったうさぎをいやしたのは、がまの穂《ほ》ですわ」

　さいわいにして死病ではなかったし、どう考えても、悪いのは氷室《ひむろ》ではなく、仲丸《なかまる》だ。玉虫《たまむし》の薬湯《やくとう》とつききりの看病《かんびょう》のおかげで、熱は三日でさがった。

「草の汁――って言祝《ことほき》が言ってたけど、なんの草だったの？」

「草の汁じゃありませんとも！　かわやなぎの薬湯ですよ。熱をさげてくれますし、濃《こ》くせんじたものは血止め、痛《いた》み止めにもなるんです」

「へえ……」

「かわやなぎ、次にせんじるときに、ごらんにいれますわね」

食事がのどを通ると力もわき、起きあがれるようになった。

もう頭が痛むこともない。玉虫は寝《ね》ていなさいと言うものの、いいかげん寝ていることにあきた沙々は、天文博士《はかせ》がしるしたという書物を引っぱりだした。

天狼《てんろう》、老人星《ろうじんせい》、黄道《こうどう》、赤道《せきどう》――玉虫は、沙々が星図について学ぶのをあまりよろこばないが、沙々自身はおもしろいと思っている。時と場所が変われば、星の位置も変わる。星図を見れば、それがいつの、どこの空をしめしているのかが計算できる。

「顔色、ずいぶんよくなったじゃないか」

ふりかえると、言祝がほほえんでいた。

「おかえりなさい」

言祝は、きのうも、きょうも舎人親王《とねりしんのう》によびだされていた。仲丸もその場にいたと聞いて、思わず顔をしかめた沙々《ささ》だった。

「おまえさんと仲丸《なかまる》は、仲がいいんだか、悪いんだか」

「いいわけないでしょう！」

「仲丸に聞かれたよ。おまえさんのぐあいはどうだ、って」

沙々はあんぐり口を開けてしまった。

「病《やまい》でふせっているのなら、見舞《みま》いに来たいんだとさ」

「元気になりました！　まったく、だれのせいだと……。仲丸にお見舞いに来られたりしたら、それでまた病になっちゃうよ」

「悪いと思っているからこそ、心配してるんだろう」

「心配するくらいなら、つきとばさなければよかったのに」

あの日、部屋に沙々の姿《すがた》がないとまず気づいたのは仲丸だったと、言祝《ことほき》は言った。

かわやに用をたしにいったのかもしれない――言祝はそう考えて『じきにもどってくるでしょうから、お気になさらず』と答えた。

けれども仲丸はにやついて、

『慣《な》れない場所のこと、まよって、こまりはてているでしょう。探《さが》しに行ってまいります』

止めるまもなく、行ってしまったのだという。

「そんなのぜったい、親切心からじゃないよ。あたしがこまっているところを見つけたら、笑ってやろうってつもりで、わざわざ探しに来たんだよ」

「……沙々」

「うん？」

名前をよんだきり、その先をなかなかつづけない言祝はめずらしかった。沙々が探《さぐ》るように見返すと、ためらいがちに口を開いた。

「ほんとうのところ、なにがあったんだ？」

「なにがって、話したでしょう？　仲丸があたしをつきとばしたの。あたしが自分から水たまりに飛びこむわけないじゃない」

「そういうことじゃないんだ。――舎人《とねり》さまとの史書編纂《ししょへんさん》にかかわるお話が、おまえさんにとっては、たいくつだったろうなとは思う。だが、だからといって、それだけで女官《じょかん》見習いの仕事から逃《に》げる沙々じゃないだろう？　なにも言わずに部屋をぬけだして、あんなところにひとりでいたのは……。いったい、どういうわけがあったんだ？」

こんどだまりこむのは、沙々の番だった。

とはいえ、それはわずかのあいだだった。沙々《ささ》はいずまいを正して、言祝《ことほき》を見あげた。

「言うよ。……聞いてくれる？」

「もちろん」

「はじめて舎人親王《とねりしんのう》さまのところへ参上した日に、あたし、真桑姉《まくわねえ》さんに会ったんだよ」

言祝の表情《ひょうじょう》がひきつった。

「仲丸《なかまる》の兄ぎみはおやさしいんだって。その人に仕えている今が、しあわせなんだって。そう言われて、ものすごく苦しかった。姉さんを助けなきゃって思いつづけてきたあたしのこれまでって、なんだったんだろうって。ばかみたいって。……言祝は、真桑姉さんが仲丸の兄ぎみに仕えているって、知ってたんでしょう？」

「それは……」

「知ってたけど、言えなかったよね。言ったら、拝命《はいめい》したとくべつの務《つと》めだってほうりだして、あたしは姉さんのところへ飛んでいくかもしれなかったから。……でも、逆《ぎゃく》になったの。あたしはもう、真桑姉さんには会いたくない――また会ってしまったらと思うと、こわい。だけど、仲丸の供《とも》をして姉さんは来ているかもしれないし、飲みものやくだものを運んでくるかもしれない。だからあのとき、会わないために逃《に》げたの。ひとりになりたかった」

言祝は言葉を探《さが》しているらしかった。しかし、なかなか見つからないようで、口を開きかけてはとじるさまをくりかえしている。

「沙々……」

「そんな顔しないでよ。あたしはもう、へいき。いっしょに暮《く》らさなくたって、真桑姉さんがしあわせならいいんだ。そう思うことにしたの。だから、これでこの話はおしまい」

ぽんと手をたたいた。言祝にも気にしてほしくはなかったし、なにより沙々は、自分の中できりをつけたかったのだ。

枕《まくら》もとで言祝と玉虫《たまむし》が言いあいをしたのは、沙々を心配してこそだと気づいたとき、胸《むね》の傷《きず》がゆるゆるとふさがっていく気がした。

真桑姉さんという居場所《いばしょ》を失ったけれど、今は、ここが沙々の居場所だ。

勢《いきお》いをつけて立ちあがった。とたんに立ちくらみがし、ふらついたところを言祝にささえられる。

「……まだ、寝《ね》てたほうがいいんじゃないか？」

「言祝まで玉虫みたいなことを言わないで」

沙々は、つんとあごをあげた。

「これ以上じっと寝《ね》ていたら、さびついて動けなくなるよ。――きょう、舎人《とねり》さまによばれていたのは、なんのお話だったの？」

「おまえさんが、いつになったら蘇我《そが》の邸《やしき》を調べに行けるのかと、な。矢のさいそくだ」

「――やっぱり」

「沙々《ささ》が来たことで、『天皇記《てんのうき》』と『国記《こくき》』を手に入れられるめどがついて、待ち遠しくていらっしゃるんだろう。とはいえ、無理は禁物《きんもつ》だぞ。心身が万全でないのに、過去《かこ》わたりができるわけがない。おれの兄分《あにぶん》たちが失敗しているのを忘《わす》れちゃいけない」

「忘れないよ。それに、あたしはお邸を調べて図面にするだけでしょう？　火事の中に飛びこむわけじゃないんだから、だいじょうぶ」

言祝《ことほき》は眉根《まゆね》を寄《よ》せた。

「あのなあ……、蘇我の邸がある時代は、平城京《ならのみやこ》とはわけがちがうんだ。大化《たいか》の改新《かいしん》のはじまりがどんなものだったか、知っているか？」

「大化の改新なら知ってるよ。玉虫《たまむし》に習ったんだから」

沙々は胸《むね》を張《は》った。

「蘇我の一族をたおして、天皇が中心となって国を治めるようにあらためたのが、大化の改新。

唐《とう》のやりかたにならって、法や税《ぜい》についても整えたのでしょう?」

「およそ合ってる。どういうふうに蘇我一族がほろんだのか、乙巳《いっし》の変《へん》とよばれるできごとのことはわかっているか?」

「舎人親王《しんのう》さまもおっしゃってた、自分の邸に火をはなったってやつね。それで一族も史書《ししょ》も燃《も》えてしまったって」

「火をつけたのは蘇我蝦夷《えみし》だ。当時まだ皇子《おうじ》でいらした天智天皇《てんじてんのう》は、みずから剣《つるぎ》をとって蘇我蝦夷の息子・入鹿《いるか》にきりかかった。式典のさなか、皇極《こうぎょく》天皇の御前《ごぜん》でだぞ? 息子がきられたと知ったから、父親は絶望《ぜつぼう》して、邸ごと燃やしたんだ」

「……剣、で?」

「そう、剣でだ。もとは家臣ふたりがきりかかることになっていたらしいが、どちらもおじけづいて身動きできなくなってしまったから、皇子がご自分で剣をぬいたんだ。きられたなきがらは、庭に雨ざらしだったさ」

「そんな、まさか。まるで見てきたみたいじゃない」

「見てきたんだよ、あの日のできごとを。過去わたりを命じられて。おれは門番に変装《へんそう》していた。入鹿が逃《に》げられないように、この手で宮門《きゅうもん》をしめたんだ」

沙々《ささ》の心《しん》の臓《ぞう》に、ひやりと冷たいものがせまった。

「今じゃ考えにくいが、七十年ほど前となると、そういう血なまぐさい時代だったんだよ」

なだめるように、言祝《ことほき》が沙々の肩《かた》をたたいた。

「武器《ぶき》はかざりじゃない。おどすだけの道具じゃないんだ。あやしいやつと目をつけられたら、命があぶない。だから舎人《とねり》さまは、目立たないように女《め》の子《こ》をとおっしゃったんだ。気をつけるにこしたことはないぞ」

――これが、あたしのたまわった務《つと》めなんだ。

身ぶるいして、うなずいた。おそろしいが、やめたいとは思わなかった。

井戸水をくみ、石段《いしだん》の段数と歩数を数え、氷室《ひむろ》のかんぬきにふれて、またもどってくる。それが、沙々の新しい日課となった。

玉虫《たまむし》が黄泉平坂《よもつひらさか》とよび、あれほどぶきみに感じた氷室への道行きも、毎日通ってみればただの石段と通路だった。

青と銀の星空のような氷室で、言祝が裂《さ》け目《め》を開くさまを三度、となりで見た。わけもわからぬまま、はじめて氷室に連れてきてもらったときのことをふくめるなら、四度だ。三度はただ手順を覚えるためで、実際《じっさい》に裂け目をまたぎこしはしなかった。

「慣《な》れてきたな。そろそろ……、やってみるか？」

言祝にうながされて、沙々は氷の剣《つるぎ》をひとふり、氷室の奥《おく》から持ってきた。瑠璃《るり》の円にひざをそろえて座《すわ》り、かたわらに剣を置いて、星図を水盆《すいぼん》の底にしく。

水盆に水を注いだとき、星図から立ちのぼる墨《すみ》の香りが好きだった。つんとする香気《こうき》をすいこみ、そらで言えるようになった文言をつぶやく。

「天は地を映《うつ》し
　地は天を映す
　清流《せいりゆう》　漏刻《ろうこく》　箒星《ほうきぼし》
　水は流れ　星も流れ　時も流れれども
　水は水面《みなも》に星を留《とど》めて　その時をも留めん」

星の気を留めた水を水盆からすくい、貝のかたちの香炉《こうろ》にふりかける。貝の口からけむりがあがる。墨の香気とはちがって、けむりの甘苦《あまにが》いにおいは、好きにはなれない。

中身をていねいにくるみこんでいる藁《わら》をはがし、氷の剣を手にする。剣は、言祝がくんできた水を型《かた》に入れてこおらせ、ひとふりずつみがいて、つくっているらしい。

とけにくいように大きくつくればいいのにと思うが、それではつかみにくくなってしまう。

過去《かこ》わたりのためには、きちんとにぎってふりぬき、裂《さ》け目《め》ができなければ意味がないし、持ちはこべなくては、いつとけきるかをたしかめることもできない。そもそも、水盆《すいぼん》にしずめられない大きさでは、話にならない。

霜《しも》のおしろいをまとった剣《つるぎ》は、水盆にしずめられると、驚《おどろ》くほど透明《とうめい》になる。水の中に手を入れ、その剣をつかむ。冷たさにびりびりと肌《はだ》がしびれた。

剣がすべり落ちないよう、かじかむ指先に力をこめ、ひと息に、けむりのとばりをないだ。しゅうっとうなりをあげて、ばけもののまぶたのような裂け目が開いた。

「よし、よくやった。成功だ」

言祝《ことほき》は笑顔《えがお》でうなずいた。ほめられ慣《な》れていない沙々《ささ》は、氷室《ひむろ》の中だというのに、耳もほおも熱いくらいだった。

「ええと……、むこうはいつの、どこなの？」

言祝が裂け目から身を乗りだして、ぐるりを確認《かくにん》しながら答えた。

「乙巳《いっし》の変《へん》が起きるちょうど一年前、皇極天皇《こうぎょくてんのう》三年六月の飛鳥《あすか》だ」

「どうして夏に？　すずしい春とか風の気持ちいい季節とかのほうが、訓練にはうってつけだと思うけど」

言祝はふりかえり、氷の剣を沙々から受けとって、手慣れたようすで藁《わら》を巻《ま》きなおした。

「氷がいちばんとけやすいのが真夏だからだ。すずしいころあいの訓練しかしていなかったら、暑い時期に過去わたりしたとき、うっかり剣をとかしきっちまうかもしれないだろう?」

「すずしいときばかりを選んで、過去わたりをすればいいんじゃない? あたしはお邸《やしき》を探《さぐ》るだけなんだから、いつだってかまわないと思うけど」

「乙巳の変が起きたのは六月だ。事件《じけん》の当日ではなくても、できるだけ近い時期を探らなければ、史書《ししょ》のありかが変わってしまうかもしれないじゃないか」

言われてみれば、そのとおりなのだった。そうじや整理のために、動かされてしまうことはありうる。

「だから、ちゃんと剣のぐあいをたしかめて、余裕《よゆう》をもってもどってくるよう心がけるんだな。うっかり間に合わなかったら、過去の世に置いてけぼりだぞ」

きっちりと藁でくるみおえた氷の剣を、言祝は沙々に押《お》しつけた。

「裂け目は、たとえあと一歩のところまで来ていても、待っていてくれたりしないからな。時間となれば、ようしゃなくとじきる。片腕《かたうで》をつっこんだときにとじたなら、帰るのは片腕だけというわけだ」

――あたしが帰れなくなったとしても、やっぱり、言祝《ことほき》は助けには来ないんだ。

たしかに、危険《きけん》きわまりない務《つと》めにちがいない。

大貴族《だいきぞく》の出身で、ゆくゆくは天皇《てんのう》をおささえすると期待されている仲丸《なかまる》に過去《かこ》わたりをさせてはならないわけが、ほんとうの意味でやっと実感できた。

九、弥《み》乃《の》売《め》

香《こう》のけむりでできているはずのとばりは、ぶよぶよとぶきみなさわり心地だった。さしのべられた言祝《ことほぎ》の手を断《ことわ》って、しんちょうに裂《さ》け目《め》をまたぎこし、地面を踏《ふ》みしめる。

土と草の濃《こ》いにおい。風はない。

汗《あせ》が、ふつり、ふつりと背中《せなか》に吹《ふ》きだしては、しずくとなって流れていく。氷室《ひむろ》から出たばかりの体に、まとわりつくような暑さだった。

沙々《ささ》たちは、うっそうとしげる木立の中に立っていた。重なりあう枝葉《えだは》にかこわれた空が、ぶ厚《あつ》い雲が、まるでのしかかってくるようだ。

「空が重いな」

顔をしかめ、言祝がつぶやいた。

「空が重いと、なにかが起きるの？」

「なにも起きないはずだから、ためしの過去《かこ》わたりに、このときを選んだんだ。なのに、いやな予感がする」

「星読みは星がなくても、空を見ればわかるんだ？」

「いいや。たんなる勘《かん》だ」

ぼうぼうとのびた草をかきわけて進む言祝《ことほき》のあとについていくと、道に出た。きちんと整備《せいび》されたものではなさそうだが、人が通ることで踏《ふ》みならされたのだろう。

「雨のにおいはしないな。西がとくべつ暗くもないから、嵐《あらし》が近いわけじゃあない。……勘が、ただの気のせいならいいんだが」

言祝が目をすがめて道を見はるかす。沙々《ささ》は、衣《ころも》の中に押《お》しこんだ氷の剣《つるぎ》のぐあいをたしかめようとしてうつむいた。

そのとき、沙々の体がういた。

わけがわからず肩《かた》ごしに見ると、しげみから、だれのものとも知れない二本の腕《うで》がつきでている。

悲鳴をあげようとしたとたん、がつんと沙々のあごが音を立てて、目の前に星が散った。その腕にかかえられ、木立の中に飛びこまれたのだ。

「沙々！」

追いかける言祝の姿《すがた》は、あっというまに木々にまぎれて見えなくなってしまった。

沙々は走る何者かに運ばれるまま、上下にひどくゆれるたび、舌をかまないようにしているだけでせいいっぱいだ。

――さらわれたってこと？　真桑姉《まくわねえ》さんみたいに？

あたりをうかがう余裕《よゆう》などなかった。緑のまだらが飛びすぎていくのを感じるだけだ。裂《さ》け目《め》があったはずの方角もなにも、もう、わかったものではない。

ようやくゆれが止まったとき、沙々は目をまわしていた。どちらが上でどちらが下か、まるで定まらない。

男たちの声が聞こえても――ひとりではない。おそらく、ふたり――話の内容《ないよう》が頭に入ってこない。ただ、はきそうになるのをけんめいにこらえて、なんどもつばを飲みこんだ。

地面に転がされたまま、ゆっくりと息をくりかえす。

「こんだけいい衣を着ておるんじゃ。蘇我《そが》さまのお邸《やしき》か、お宮で働くむすめじゃろうな」

やっと、聞きわけることができた。

視線《しせん》をあげると、さほど遠くはないところに葦《あし》か萱《かや》でふいた屋根の連なりがある。集落のはずれに連れてこられたらしい。

「役人らしい身なりの男といっしょにおったんじゃろ？　わしら、その男につかまえられて、死ぬまでぶたれるんじゃないかね？」

「見つかる前にすましちまえばいいさ。こいつにぼろを着せたらすぐに、蘇我《そが》さまの邸《やしき》に連れていく。ぬがした衣《ころも》は、あやしまれたとき口止めとしてわたせばいい」

こちらに背《せ》をむけて、老人とせっかちそうな男が、早口で言いあっていた。

「もともと蘇我さまんとこのもんじゃったら、どうする？」

「丘《おか》の邸からこんなところまで、わざわざ女《め》の子《こ》に男をつけてやったりするものか。使いなら男ひとりでじゅうぶんだ。ひょっとすると、あの男はおれらをあわれんだ神さまで、こいつをつかわしてくれたのかもしんないぜ？」

「そんなつごうのよいことがあるかね。あのむすめ、目を覚ましたら、まちがいなく助けをよぶじゃろ。おおごとにするでない。おじとして、おまえが心配で言っておるんじゃ」

「おれじゃなく、自分の心配だろ。なら、助けをよべないように、のどをつぶしておくか」

ぶっそうきわまりない会話に、ぞっとした。

――なんとかしないと。

沙々《ささ》は立ちあがろうとして、腕《うで》も足も思ったように動かせないことに気がついた。いつのまにか、すそごと縄でくくられているらしかった。

目をまわしているすきに、逃げられないようしばられてしまったのだ。

血の気が引いた。

たとえ走ることができたとしても、今や裂《さ》け目《め》の位置がわからない。氷の剣《つるぎ》がとけてしまわないうちにもどれるものかあやしいというのに、青虫のようにはうことしかできないこのありさまでは、間に合うはずもない。

――でも、なにもしなかったら、確実《かくじつ》に置いてけぼりだ。

言祝《ことほき》はひとりだけで、氷室《ひむろ》にもどることになるだろう。

急がないと、のどをつぶされてしまう。今さけべば、集落にいる、心あるだれかに届《とど》くかもしれない。沙々を探《さが》してさまよっている言祝にも聞こえるかもしれない。

大声をあげようとした寸前《すんぜん》、思いだした。

――過去《かこ》の世のできごとに、かかわってはいけない。

沙々を助けようと集落からだれかが来てくれたなら、沙々をさらった男と、きっと言い争いになるだろう。手が出ないともかぎらない。

――そのために、けがを負ったら？　打ちどころが悪かったら？

ここは、沙々が生まれるよりも何十年も前――本来なら、沙々が存在《そんざい》しない場所だ。沙々にかかわったために、その人の人生が変わるようなことがあってはならない。

おそろしさのあまり考えることをやめたがる頭を、必死に動かしつづける。奥歯《おくば》がふるえないように、きつく食いしばる。

――言祝《ことほき》に、助けに来てもらうしかない！

沙々《ささ》が目覚めたことに、まだ男たちは気づいていない。

悲鳴をあげるのでもなく、「助けて」とさけぶのでもなく、言祝だけに居場所《いばしょ》を知らせるためには、どうしたらよいだろう？

――時間がない。

日ざしはないが、この暑さだ。氷の剣《つるぎ》は、沙々の体の下で、じわりじわりと小さくなっているにちがいない。長くはもたない。

沙々はこきざみに体をよじって、片《かた》そでをぬいた。そでどうしの結び目は固かったが、足とちがい、縄でくくられていなかったのはさいわいだった。

動かせるようになった右腕《みぎうで》と、目と、口。

男のおじらしい老人が、身ぶりも交えて、なんとか思いとどまるように説得《せっとく》してくれている。

だが、沙々をさらった男は、つばを飛ばす勢《いきお》いで言いかえしている。

沙々は右手の指を、口もとに押《お》しあてた。

――言祝……。どうか、気づいて。

指笛は、沙々と真桑姉《まくわねえ》さんのあいだでの合図――言祝に出会ったのは、長屋王邸《ながやおうてい》で真桑姉さんを探《さが》して、沙々が指笛を鳴らしたときのことだった。二年も前の、ただ一度きり聞いただけの指笛を、言祝が覚えているとはかぎらない。沙々からの合図だとは思わずに、聞きながしてしまうかもしれない。

それでも今、沙々はこれにかけるしかなかった。

息をすいこみ、せつな、止める――吹《ふ》く。

たちまち、甲高《かんだか》い音が天と地のあいだをつんざいた。木の枝《えだ》から鳥たちがあわてて飛びたち、羽根を舞《ま》いちらしながら逃《に》げていく。

「たかか？」

「とびじゃろ。」

「とびなら上をぐるぐる飛んでいるだろうよ。姿《すがた》が見えないってことは、たかだ」

沙々はつづけざまに指笛を鳴らした。しかし、三度でやめなければならなかった。あまり鳴らしすぎてはあやしまれるし、なにより、男たちがふりかえるそぶりを見せたのだ。

腕《うで》をしまい、気を失っているふりをする。

「よほど、のんきなんだろうよ。おれたちがしゃべくろうが、あんなにうるさくたかが鳴きわめこうが、寝《ね》こけてやがる」

こっそり薄目《うすめ》を開けていると、沙々《ささ》をさらった男が近づいてきて、沙々を足先でこづいた。

今まさに気がついたふりをすべきか、まだ、気を失ったままでいたほうがいいのか……。まよっていると、とつぜん胸《むな》ぐらをつかんで引きおこされた。思わず目を見開き、血走った男のまなこと、視線《しせん》がぶつかる。

「はっ、お目覚めか。おまえさんにゃあうらみもなにもないが、まあ、運が悪かったと思ってあきらめろ」

手のひらが、のどもとへとせまる。さわぐこともできず、まるで金しばりだ。悲鳴は口の中にはりついてしまった。

――言祝《ことほき》、ことほき！

胸《むね》の内側で名前をよぶしかなかった。

男の指先がのどをかすめたとき――ふわり、沙々の体があたたかいなにかに引きよせられた。

頭で理解《りかい》するより先に、なみだがこぼれた。ほっとして流れるなみだだ。

男の手は宙《ちゅう》をかき、血走ったまなこがらんらんと燃《も》えた。たかにえさを横どりされた、うえたけもののように。

「悪いね。運がなかったと思ってくれ」

言祝の息はあがっていたが、それでも男ににくまれ口をたたいてから、身をひるがえした。

男はきたない言葉でののしり、わめきながら追いかけてきた。沙々をかかえた言祝よりも、身ひとつで追いかけてくる男のほうがはやい。見る見る差をつめられてしまう。

「追いつかれちゃう、つかまっちゃう！」

返事をする間もおしんで、言祝は駆《か》けた。

男は、はやる気持ちに体がついていかなかったのか、足をもつれさせてたおれこんだ。もがくようにして、起きあがろうとする。土が飛び散る。

「言祝、今のうちに！」

言祝は沙々ごと氷室《ひむろ》めがけて飛びこみ、まもなく、あとかたもなく裂《さ》け目《め》は消えさった。

ひざとすねの傷《きず》もそのままに立ちあがり、追いすがった男の目の前で、ふたりの姿《すがた》はかき消えた。

ほんとうに、消えたのだ。それこそ、まるで神が、神でなければ鬼《おに》が人をあざ笑いながら姿《すがた》をくらますように。

男はおのれの目が信じられずに、ただぼうぜんと、ふたりが消えた宙《ちゅう》を見つめつづけることしかできなかった。

いらだつほどに、なじみのある気配が背後《はいご》に立った。

「いつまでも、そうしておるわけにはいくまいて。忘《わす》れるんじゃ、悪い夢《ゆめ》を見ておったんじゃろ」

彼《かれ》を止めようとしていた、おじだ。肩《かた》をゆさぶられ、同情《どうじょう》をこめて背《せ》をたたかれた。

「二度と、みょうな気を起こすでない。……もどるぞ」

こぶしをきつくにぎりこんだ。つめが食いこむ痛《いた》みは、これが夢などでなく、ひどい現実《げんじつ》をなにも変えられなかっただけのことだとつきつけた。

「身代わりのむすめがいなけりゃ、おれの子が……、弥乃売《みのめ》が蘇我《そが》さまの邸《やしき》にとられちまうだろうが！」

「あきらめがかんじんよ」

おじの声音はやさしいが、それだけだ。身内であっても、だれも助けてくれはしない。

「みなで決めたことじゃ。なにより、あたりのくじを引いたのは、おまえさん自身じゃろ。

「……なに、ここにおるよりも、邸《やしき》じゃうんといい食事にありつけるじゃろうて」

「ありつけるものかよ！　だれも弥乃売《みのめ》を守ってやれない。はしためのいちばんの下っぱとして入るんだ。食いものなんぞとりあげられて、きたない仕事ばかり押《お》しつけられて、いじめられて、きっと死んじまう」

　こんどは、おじもなぐさめを言わなかった。


　ばけものが眠《ねむ》りに落ちるように、まぶたじみた裂《さ》け目《め》はとじて、消えた。

　命からがら帰った沙々《ささ》は、言祝《ことほき》が水盆《すいぼん》にほうり入れた氷のかけらをすくいあげてみた。剣《つるぎ》であったものは、今や沙々の親指ほどの大きさでしかない。

「……よく、指笛を思いついたなあ」

　言祝はようやっと息が整ったところで、氷室《ひむろ》の冷たい床《ゆか》に座《すわ》りこんだままだ。

「さすが、おれが見こんだだけある。しかし今回は、ほんとうに肝《きも》が冷えた――沙々の機転のおかげだな」

　手ばなしにほめられると、もぞもぞしてしまう。

「言祝こそ、よく指笛があたしからの合図だって、わかったね」

「前に一度聞いているんだ。これでわからずに沙々を助けられなかったりしたら、あの世でだって、おまえさんに合わせる顔がない」

「えんぎでもないこと言わないでよ」

「おれは、自分がふがいなくてならないよ」

　言祝はことさら大きなため息をつき、星宿《せいしゅく》のかがやく天井《てんじょう》を見あげた。そのまま、なかなか腰《こし》をあげようとしない。

「……ねえ、玉虫《たまむし》に白湯《さゆ》をもらいにいこう？　こごえちゃうよ」

「そうだな」

　言祝の返事にもほほえみにも、力がない。

　沙々は言祝の両腕《りょううで》をつかんで引っぱり、うんうんうなりながら立たせた。

「熱を出したら玉虫におこられて、こんどは言祝も草の汁《しる》だよ」

「それはかんべんだなあ」

「だったらほら、しゃっきりして。歩いて」

　玉虫が湯をたっぷり用意してくれていたおかげで、冷えきっていた沙々も言祝も寝《ね》こまずにすんだ。

だが言祝《ことほき》は、沙々《ささ》の過去《かこ》わたりにひどくしんちょうになった。

ともに訓練をくりかえしたが、そのたび、かならず近くにいるように注意された。それだけでなく、過去の世にいるあいだは、沙々のえりの後ろをつかんで、かたときもはなさないのだ。母犬にくわえられ、ぶらんと運ばれる子犬のような気分だった。

とはいえ、沙々がもんくを言いつづけるまでもなかった。いつまでも、言祝が沙々の過去わたりに同行するわけにはいかないのだ。

蘇我《そが》の邸《やしき》にもぐりこみ、すみずみまで動きまわることができるのは、とるにたらないと思わせられる女《め》の子《こ》――沙々だけなのだから。

ついに、沙々ひとりだけで過去わたりをためす日がやってきた。

水盆《すいぼん》にしずめられた、剣《つるぎ》の下になっている星図の墨色《すみいろ》があざやかに映《うつ》る。えがかれているのは、皇極天皇《こうぎょくてんのう》四年の春の星。大化《たいか》の改新《かいしん》のはじまりである乙巳《いっし》の変《へん》が起きる三月前だ。

「――水は水面《みなも》に星を留《とど》めて　その時をも留めん」

開いた裂《さ》け目《め》から氷室《ひむろ》に、うすく光がさしこむ。時をおしんで、氷の剣を藁《わら》でくるもうとしても、すべってしまってなかなかうまくいかない。

「やってやろうか？」

「いい。自分でできるようにならなくちゃ、こまるでしょ」

藁の上からさらに手巾《しゅきん》を巻《ま》くことで、ひとりでなんとかやりとげた。

星図をかいたのは言祝で、氷の剣をつくったのも言祝だが、そのほかはぜんぶ沙々がやったのだ。今回の手柄《てがら》は沙々のものだった。背筋《せすじ》をぞくぞくさせるものがあり、思わず胴《どう》ぶるいした。

「……やっぱり、いっしょに行くか？」

「いいってば！　こわいんじゃないの、緊張《きんちょう》してるだけ」

沙々がひと時でもさらわれてからというもの、言祝は心配のしすぎだ。

たしかに、沙々が失われてしまえば、新しく女の子を過去わたりできるようにしこむには時間がかかる。『天皇記《てんのうき》』と『国記《こくき》』が手に入るめどは遠のき、史書編纂《ししょへんさん》はとどこおり、舎人親王《とねりしんのう》の眉間《みけん》のしわは谷のように深くなるだろう。

だからといって、信じて送りだしてもらえないのは、自分がひとりではなにもできない役立たずのような気がしてしまう。

「言祝はここにいて。……いってきます」

裂け目をくぐりぬけ、沙々は深く息をすいこんだ。腹《はら》に力をこめて、背筋をのばす。

空の色はあわく、あたりは氷室《ひむろ》ほど冷たくはないが、ひんやりしていた。先日わたった六月とはちがう——春だ。

木々の枝《えだ》をすかして、丘《おか》の上に巨大《きょだい》なお邸《やしき》が見える。思いえがいていたよりも、三倍は大きい。まるで小さな京《みやこ》のようだ。

——あれが、蘇我《そが》のお邸。

これからなんども通《かよ》って、あのお邸の図面をつくるのだ。そして『天皇記《てんのうき》』と『国記《こくき》』を探《さが》しだし、炎《ほのお》の中でも言祝《ことほき》がまよわず持ちだせるように、正確《せいかく》に道を覚えるのだ。

「だれ？」

とつぜんの声に、心《しん》の臓《ぞう》があばらの内でのたうった。

丘の斜面《しゃめん》のこんな森の中に、なぜ人がいるのだろう？　いるはずがないから、今回こうして、裂《さ》け目《め》を開ける場所として選ばれたのに。

「あなたこそ……、だれなの？」

たたずんでいたのは、沙々《ささ》と同じ年ごろのやせた少女だった。からのかごをかかえている。

身なりは、車借人《しゃしゃくにん》のもとにいたころの沙々ほどひどくはないが、たくしあげたすそにはちぎれた葉や土、細い枝がくっついていた。

「あたしは弥乃売《みのめ》。蘇我さまのお邸のはしためよ」

「お邸の人なのに、どうしてこんなところにいるの？」

「お邸の近くには、ふきのとうがなかったから」

「ふきのとう？」

　ふきのとうは、春のはじめにふきの根から顔を出す。苦いので沙々は好きではないが、香りがよく、春のおとずれを知らせてくれる味として、好物にする人は多い。玉虫《たまむし》もそうだ。

「今じゃ花が開ききって、ふきのとうの時期は終わってしまっているんじゃない？」

　ふきのとうは雪ととなりあわせの春菜《わかな》だ。風に冷たさが残ってはいても、このときでは春もなかばを過《す》ぎている。見つかるとは思えなかった。

　弥乃売はうつむいた。

「そんなこと、わかっているの。けど、大臣《おおおみ》さまがめしあがりたいとおっしゃるのですって。見つけるまでは、門の中に入れてもらえないわ」

「ひどい！」

　召使《めしつか》いの中でも身分の低いはしためだからと、いじわるをされているにちがいない。

　引き手の兄さんたちに食べものをとられ、けとばされていた自分と重なって見えた。心からふんがいをして、はたと気がついた。

自分は、過去《かこ》わたりをしてここにいるのだ。この時代の人とはかかわらないほうがいいに決まっているし、早くもどらなければ、待ちきれなくて言祝《ことほき》がようすを見に来てしまうかもしれない。

――あたしは、助けてあげられないんだ。

自分がふたつに引きさかれるようだった。弥乃売《みのめ》のためにふきのとう探《さが》しを手伝いたい気持ちと、務《つと》めにさわりがないようにつきはなさなければ、という思いと。

「……そういえば、あっちのほうに、ひとつだけあるのを見た気がする」

「ほんとう？　ありがとう！　見てくるわね」

弥乃売は顔を明るくして、沙々《ささ》があてずっぽうに指さしたほうに駆《か》けていった。

沙々はそそくさと氷室《ひむろ》にもどった。手巾《しゅきん》と藁《わら》をほどいて、投げるように剣《つるぎ》を水盆《すいぼん》に入れた。

裂《さ》け目《め》はとじ、けむりが晴れる。

「あわててどうした？　山犬でも出たのか？」

心配そうな言祝に、沙々は首を横に大きくふってみせた。

うそをついた舌《した》が、ふきのとうをかじったときのように、苦かった。

十、蘇我《そが》の邸《やしき》

なんどめになるだろう？

「ほんとうに、ひとりでだいじょうぶか？」

沙々《ささ》は思わずもれそうなため息をこらえて、言祝《ことほき》を見あげた。

「だいじょうぶだってば。それに、あたしがひとりで行かなくちゃ意味がないでしょう？　言祝は蘇我《そが》のお邸《やしき》にいるところを見つかったら、殺《ころ》されちゃうかもしれないんだから」

弥乃売《みのめ》のことは、だまっていた。

沙々はこれから、蘇我の邸にしのびこみ、たくさんいる召使《めしつか》いの少女の中にとりまぎれなければならない。そしてお邸の部屋や廊《ろう》を覚え、『天皇記《てんのうき》』と『国記《こくき》』のありかをつきとめる。言祝はそばにいない。自分ひとりの力がたのみだ。あやしまれ、つまみだされたらいっかんの終わり。

失敗したらと思うと、おなかの中がねじれ、引きしぼられているようだった。

――でもこれは、言祝じゃなくて、あたしが拝命《はいめい》した務《つと》めなんだから。

役立たずになりたくはなかった。
胸《むね》を張《は》り、自信に満ちて見えるように、言祝《ことほき》の目をまっすぐ見返した。
「あたしを信用して。沙々《ささ》ならできるって、そう思ったから言祝はあたしを舎人《とねり》さまのところへ連れていったんでしょう？　だったら、最後まで信じていてよ」
なにかをこらえるように口もとをひんまげながら、言祝は星図をさしだした。
「……わかった。行ってこい」
沙々はうなずいて、それを受けとった。
蘇我《そが》の邸《やしき》に火がはなたれるひと月前――先日の過去《かこ》わたりでおとずれた春の日より、ふた月先の星図がえがかれている。
「天は地を映《うつ》し
地は天を映す
清流《せいりゅう》　漏刻《ろうこく》　箒星《ほうきぼし》
水は流れ　星も流れ　時も流れども
水は水面《みなも》に星を留《とど》めて　その時をも留めん」
貝の口から立ちのぼったけむりが、とばりとなって瑠璃《るり》の円をおおう。ぬれそぼった氷の剣《つるぎ》をふりぬくと、水しぶきが星のようにきらめいた。

藁《わら》と手巾《しゅきん》でくるんだ剣を、内衣《ないい》の中に押《お》しこんだ。

今、沙々は七十年前にふさわしい衣服を身につけていた。玉虫《たまむし》が仕立ててくれたのだ。

上着のすそはすねにかぶさるほどで、もよう織《お》りの帯などなく、細い布ひもで腰《こし》をしばる。大きなそで口と上着のすそからは、内衣のひだがのぞいている。足が短く見え、やぼったく思えるが、あやしまれないためにはしかたがない。七十年前はこれがふつうらしく、言祝いわく、沙々のための仕立てはむしろ品のよいものらしい。

「いってきます」

「きょうはまず、ようすを見るだけだ。剣が半分以上残っていたって、もどってくるんだぞ」

言祝はまだなにかを言いたそうだったが、沙々はふりきるように裂《さ》け目《め》をこえた。

まぎれもなく夏のにおいがした。

ほおをなでる風はぬるく、草はすっくとのびている。

先日は丘《おか》の斜面《しゃめん》から邸のかこいをながめたが、今、沙々はそのかこいの内側にいた。目の前のみごとな松原は、太い枝《えだ》をへびのようにくねらせている。ふりかえると池があり、魚の泳ぐ影《かげ》がちらついた。

丘《おか》のひたいにいただいた小さな京《みやこ》のように見えた、あの中なのだ。松と松のすきまからのぞくだけでも、曹司《ぞうし》のような建物がいくつもならび、屋根つきの廊《ろう》でつながれているのが見てとれる。

この邸《やしき》のどこかに、『天皇記《てんのうき》』と『国記《こくき》』があるという。どこにあるのかを探《さが》しあてるのは、気の遠くなる思いだった。

衣《ころも》の上から剣《つるぎ》にふれると、何重もの藁《わら》と布地《ぬのじ》にへだてられているのに、指先がひやりとする。剣に「使命を思いだせ、急げ」と言われている気がした。

――行かないと。

身をふるわせて松原を出る。

とりあえず、いちばん近くにあった建物にあがった。あとで図面にかきおこすため、記憶《きおく》にきざみつけようと意識《いしき》を集中させた。

太陽のむき、外からながめたときの位置。そして、建物の内部のつくり。そういったことばかりに気をとられていた沙々《ささ》は、角を曲がってきた人物に気づかなかった。

ぶつかってはねとばされ、しりもちをついた。視線《しせん》をあげると、大柄《おおがら》な女性《じょせい》がそびえ立っている。女性は太い眉《まゆ》をつりあげてまくしたてた。

「このいそがしいときに、よくもひとりでふらふらとしておいでだね。見ない顔だけど、なりだけは一人前だこと。新入り？　受け持ちはどこなの？」

「も――申しわけありません。まだ広いお邸のぜんぶを覚えられなくて、まよってしまって」

「まったく、ぼうっとしているのは弥乃売《みのめ》だけでじゅうぶんだというのに」

その名前に反応《はんのう》してしまいそうになるのを、沙々はけんめいにこらえた。

「あのみのむしったら、昼間でも夢《ゆめ》を見てるみたいにぼんやりなのだから！　……手があいているのなら、板屋《いたや》のうらへお行き。夫人の玉かざりがたいへんなことになってしまって、人手を探《さが》しておいでだから」

「はっ、はい！」

勢《いきお》いこんで返事をしてから、沙々は、その板屋がどこなのかもわからないことに気がついた。

おずおずとたずねると、女性はあきれ顔ながら、身ぶりを交えて行きかたを教えてくれた。じつは、めんどうみがよいのかもしれない。

沙々はお礼を言って、駆《か》けだした。

「はしたない！　もすそをひるがえして走るでないよ！」

背中《せなか》に声が飛んできて、あわてて足をゆるめた。

――ふふ……、玉虫《たまむし》みたい。

笑《え》みがもれた。七十年はなれた世にも、よく似《に》た気質《きしつ》の人がいるらしい。

薄暗《うすぐら》い板屋《いたや》のうらには井戸があった。

その井戸のそばで、だれかがうずくまっている。気分でも悪いのだろうかとあせったが、うずくまって見えたのは、背中《せなか》を丸めて桶《おけ》をのぞきこんでいるからだ。

「あのう、お手伝いに来たのですけど……」

こちらを見た顔に、沙々《ささ》はあっと声をあげた。

「弥乃売《みのめ》!」

「まあ!」

目を丸くした弥乃売は、おっとりほほえんだ。

「もう、会えないかと思っていたの。風にさらわれたみたいに消えてしまったのだもの。もしかしたら、あたしは夢《ゆめ》を見ていて、あなたはまぼろしだったのではないかって」

あのときは氷室《ひむろ》に逃《に》げかえるために、でまかせのうそをついてしまった。うその苦味を思いだして、後ろめたさに顔がこわばった。

「このあいだはありがとう。あなたのおかげで、ふきのとうを持ちかえることができたわ」

「えっ」

心底驚《おどろ》いた。

――てきとうに指さしただけなのに、ほんとうにあっただなんて。

あれはあてずっぽうでだますつもりだったのだとは、口が裂《さ》けても言えない。

「役に立てたのなら……、よかった」

そしらぬふりをして弥乃売に近づく。弥乃売は体をずらし、かたわらの地面をぽんぽんとした。

「たしかに、花になりかけていたふきのとうだったけど、よく見つけたと大臣《おおおみ》さまも感心してくださったのですって。そういえば、あたしは名乗ったのに、あなたのお名前を教えてもらっていなかったわ。聞いてもいい？」

「――沙々」

「沙々」

その短い響《ひび》きを口の中で転がし、とっくり味わうように、弥乃売はささやいた。

「風がささやくみたい」

「そんなことない……、あいそのない名前だよ。弥乃売のほうがずっといいよ」

「そんなふうに言ってくださるのって、沙々がはじめて。あたし、なにするにしてもぐずぐずにぶいものだから、弥乃売《みのめ》をもじって、みのむしなんてよばれるの」

沙々《ささ》がぶつかった女性《じょせい》も、そんなふうによんでいたのを思いだした。

「そういえば、なにしているの？　手伝うようにって言われてきたのだけど」

「夫人がおめしだった玉かざりの糸が切れて、砂利《じゃり》にこぼれてしまったの」

弥乃売は、水を張《は》った桶《おけ》を沙々に見せた。桶の底には砂利がしずんでいる。だが目をこらすと、草の実のような朝焼け色が、ちら、ちらとかがやいた。

「米つぶみたいな、とっても小さなめのう玉よ。あんまり小さいから、はしため五人が地面にはいつくばってもぜんぶは見つけられなくて……。あたりの砂利ごとすくって持ってきたの。こうして水に入れればよりわけやすいし、めのう玉に傷《きず》をつけにくいでしょう？」

「なるほど」

沙々も井戸にふせてあった桶のひとつに水をくみ、盆《ぼん》にもられた砂利からひとすくいを入れて、よりわけはじめた。

すぐにふたつぶ、つややかな赤めのうが顔を出したので、つまんで手巾《しゅきん》の上にならべた。

「すごい、もう見つかったのね」

「たまたま、すくった部分の砂利があたりだったんだよ」

しばらく、めのう玉をよりわけることに夢中《むちゅう》になった。

「……沙々《ささ》は、ほんとうにあたしの手伝いなんてしていていいの？　こんなめんどうでつまらない仕事、のろまなあたしぐらいにしかやらせておけないって、みんな言うわ。だって、だれもがいそがしくて、時間がいくらあってもたりないってぼやくのだもの」

時間がたりない――聞いて、沙々の腹《はら》の底がひやりとした。

――氷の剣《つるぎ》は……？

弥乃売《みのめ》とまた出会えたことで、すっかり舞《ま》いあがってしまっていた。

衣《ころも》をおさえると、まだわずかに指先にかたまりがふれる。だが、わずかなのだ。

「ごめんなさい弥乃売！　言いつけられていたことをすっかり忘《わす》れていて。あたしすぐに――すぐに、もどらないと」

弥乃売はさびしさをにじませた笑顔《えがお》でうなずいた。

「やっぱり、そうだと思ったわ。でも、またきっと会えるのでしょう？」

「うん、もちろん」

沙々はすその砂《すな》をはらい、一度だけふりむいて、弥乃売に手をふった。

板屋《いたや》のわきをぬけ、それからは全速力だった。そでをはためかせて走る沙々に行きかう人がふりかえったが、それだけだ。だれも追いかけてくるそぶりはなかった。上役におこられて逃《に》げているとでも思われたのかもしれない。

敷地《しきち》は広く、松原は遠い。息が苦しい。

むせるのをこらえると、なみだが出た。立ちどまるのはおそろしく、そのまま池のはたの松原まで駆《か》けぬけた。

松の根もとの裂《さ》け目《め》は、まるで眠《ねむ》たげなまぶただ。ほとんど一本線になってしまっている。沙々は両手でつかみ、力まかせに引きあけた。

「沙々！」

氷室《ひむろ》に転がりこんだ沙々がやみくもに剣の包みをとりだそうとするのを、言祝《ことほき》が助けてくれた。言祝が水盆《すいぼん》の上でうすっぺらになった藁《わら》をほどく。そこからぽとりと落ちた氷は、沙々の小指ほど、あるかなしかだった。

「なにがあった？　こんなにおそくなるだなんて」

けむりが晴れた瑠璃《るり》の円の中、息を白くしながら、言祝はまだ肩《かた》を上下させあえいでいる沙々の背中《せなか》をさすった。

「人の仕事を……、手伝っていて。それで」

せきが出た。のどがいがいがとする。

言祝《ことほき》は眉《まゆ》を寄《よ》せた。

「きょうはようす見と言っただろう。偵察《ていさつ》もなしに、敵陣《てきじん》のふところまでもぐりこむばかがあるか」

「……ごめんなさい」

「おれたちのお役目は、一から十まで偵察でいいんだ。史書《ししょ》を持ちかえることだけがとくべつで、もとより目を開け、耳をそばだてているだけが正解《せいかい》なんだ。手伝いなんてしたら、ぬけにくくなるだろう。ちゃんともどってこられたからよかったものの――」

その先の言葉を、言祝は飲みこんだ。沙々《ささ》の奥歯《おくば》がかちかちと鳴りだした。

「上にもどろう。あったかいものを食べながらでも、できる話だからな」

玉虫《たまむし》が手早く用意をしてくれたのは、わずかにうきみが入っただけの汁物《しるもの》だったが、しみじみとおいしかった。うきみはかむと香りが広がり、あたたかさが体じゅうに、つまさきまでしみわたった。

沙々がほうっと息をつくと、食べおわるのを待っていた言祝が切りだした。

「あちらでなにを見てきたか、話してくれるか」

報告《ほうこく》までが務《つと》めのうちなのだと、沙々にもわかっている。もともと、蘇我《そが》の邸《やしき》の図面を起こすための過去《かこ》わたりだ。

まるで小さな京《みやこ》かと見まごうりっぱな丘《おか》の邸——黒へびのように枝《えだ》がうねる松原からはじまり、魚の泳ぐ池があったこと、曹司《ぞうし》のような棟《むね》がいくつも見えたこと、いちばん近くの建物にあがったことを沙々は話した。

言祝はじっと耳をかたむけていたが、とちゅうで沙々の話をさえぎると席を立った。白湯《さゆ》をすすりながら待っていると、彼《かれ》は大きめの木切れを持ってもどってきた。

「ここに邸の図面をかいていく。これならじゅうぶんな厚《あつ》みがあって、あとからまちがいがわかったときも、なんどもけずってかきなおせるからな」

ぷんと墨《すみ》のにおいがして、池と松原がかきこまれた。それから、沙々があがった小さな建物。

「ここの廊《ろう》でぶつかった人に、板屋《いたや》に行って手伝いをしなさいと言われたの」

板屋へ走ろうとして、玉虫みたいに注意されたことを思いだす。木切れの表面を指でたどり、板屋のうらに井戸があったと言うと、言祝はそのとおりに四角をかきつけた。

弥乃売《みのめ》のことだけふせておいた。

かきこめることはまだ少なく、目的の書物がどこにあるのかさえわかっていない。それでも、木切れをながめる言祝《ことほき》はうれしげに見えた。

「仕事を手伝えと言われるほどに、邸《やしき》でおまえの存在《そんざい》はあやしまれなかったんだな」

「そうみたい」

言祝は、うたた寝《ね》から起きだした人が目を細めるように、沙々《ささ》をまぶしげに見た。

「これからも、たのんだぞ」

うん、ではなく、はい、と返事をした。

沙々は血が火花を散らして熱くなり、しゅんしゅんと音を立てて、全身をめぐるのを感じた。気持ちのよい熱さだ――氷室《ひむろ》を出てから冷えきった足をつける湯や、体をあたためる汁物《しるもの》と同じだ。

役に立っているとわかること、それを相手に認《みと》めてもらえることは、不安によるくもりをきれいにぬぐいさった。春よりも夏の空のほうがくっきり濃《こ》いように、沙々の視界《しかい》を明るく、あざやかにした。

もっとたくさん、見てきたことを伝えられたらいいのにと思った。胸《むね》からのどへと言葉のかけらが駆《か》けあがろうとして、ふきのとうやめのう玉が、あやうく舌《した》の上にこぼれでるところだった。すんでのところで守りぬいた。

十一、雲の上

言祝《ことほき》は氷室《ひむろ》で新しい剣《つるぎ》をみがいており、玉虫《たまむし》は出かけていた。きょうは女官《じょかん》見習いの勉強も仕事も休みの日で、沙々《ささ》はひさしぶりに手持ちぶさただった。

――そうだ。こんど過去《かこ》わたりするときの星図をかいてみよう。

次の過去わたりのため、すでにかきあがったものを言祝から受けとっている。それを手本に、自分でも星の位置を計算してみた。

木炭で星宿《せいしゅく》の下がきをしていると、おとないをつげる声がした。

人がたずねてくることはめずらしい。あるとすれば舎人親王《とねりしんのう》からの使者か、言祝の多くはない知り合いくらいだ。

「言祝は氷室にいます」と答えることはできないし、よんでくることもできない。言伝《ことづて》をあずかるか、あらためてたずねてもらうようにたのむかだ。

主人の言祝は留守《るす》にしております――言うべき言葉を用意しながら顔を出した沙々だが、たたずんでいる客人にぎょっとしてしまった。

「仲丸《なかまる》……、さま」

われに返り、あやういところで「さま」をつけたした。

彼《かれ》はいかつい従者《じゅうしゃ》を連れて、胸《むね》をそらせて立っていた。

「どんなご用向きですか。あいにく、主人の言祝《ことほき》は留守《るす》にしていて――」

「いや、おまえの顔を見に来たんだ」

仲丸にまじまじと見られて、居心地《いごこち》が悪い。彼が近づくたび、沙々《ささ》は一歩、もう一歩とあとずさった。

「せっかく見舞《みま》いに来てやったのに、びくびくするなんて失礼きわまりないな。熱はさがったらしいね。顔色も悪くない。体はいいのかな？　もう、なんどか過去《かこ》わたりをしたと聞いたぞ。ばかは、がんじょうにできているものなのかもしれないな」

そういえば、仲丸が沙々の見舞いに来たがっていると、いつだったか言祝が言っていた。

――断《ことわ》ってくれたものだと思ったのに。

言祝がやんわり断ったとしても、来てしまうのが仲丸なのかもしれない。

「おかげさまで。お気にかけていただくほどのことではなかったのです。今では、なんともありません」

「ふうん……、そうか。それならよかった」

おおげさなしぐさで、仲丸はうなずいてみせた。

「あれは、運が悪かった。事故《じこ》だったんだ。わたしだって、少し押《お》しただけで落ちるとは思わなかった。おまえのふんばりがたりなかった——そうだろう？」

とつぜんなにを言っているのかと、沙々はまばたいた。だがそれは、沙々が水たまりに落ちたときのことにちがいなかった。

仲丸にあやまってもらえるなどとは、はじめから、まつげの先ほどさえ期待していない。相手は右大臣《うだいじん》の孫——大貴族《だいきぞく》だ。それでも、沙々が悪かったように言われるのは、驚《おどろ》きだった。

「あたしのせい……、ですか？」

「おあいこ、というわけだ。あのとき、おまえはわたしの腕《うで》をはねのけただろう？　あざになるかと思ったのだ」

あのとき仲丸に腕をつかまれて、その手をふりはらったのはたしかだ。沙々のことなどおかまいなしの、押しつけがましさがいやだったのだ。だが、あの程度《ていど》で仲丸にあざができるはずもない。

沙々が欄干《らんかん》をこえて水たまりに落ちたのは、つきとばされたからだ。仲丸の手に、強く押しやられた感触《かんしょく》を覚えている。たとえ、つき落とそうというつもりがなかったとしても、彼《かれ》が「少し押《お》しただけ」で、沙々《ささ》の「ふんばりがたりなかった」というものでは、けっしてなかった。

それなのに、仲丸《なかまる》の中では、そういうことになっているらしかった。沙々はめまいがした。

「わたしは、おまえがはねのけたせいで腕《うで》を痛《いた》めた。だが、あざにはならなかった。おまえも水たまりに落ちたが、体調がもどった。たいへんだったのはおあいこだから、これでこの件《けん》はおしまいにしてやると、わざわざ言いに来てやったんだ」

――こんなの、見舞《みま》いなんかじゃない。

ありがたいだろうと言わんばかりの仲丸を、できることならひっかいてやりたかった。

だがそんなことをすれば、仲丸の言葉どおり、ほんとうに沙々が傷《きず》つけたことになってしまう。

「そうだ。それとまだ、伝えることがある」

得意《とくい》げに、仲丸は鼻の穴《あな》をふくらませた。

「前に、どんなものが食べられる草かわかるかと、わたしに説教したな？　京《みやこ》に生えている草のうち、どれが食べられてなにが毒草《どくそう》なのかを調べさせたぞ！　これを広めれば、まちがえて腹《はら》をこわすことはなくなる。あかぎれにきく薬の調合だってさせた。はしために配るつもりが、肌《はだ》がきれいになるのだと、女官《じょかん》たちまでおおよろこびだ。……どうだ？　これでもう、わたしにえらそうな口は利《き》けまい！」

ふんぞりかえる仲丸を、これ以上見ていたくなかった。

「今考えているのは、けがや病のときに助けとなるしくみをつくることだ。典薬寮《てんやくりょう》が相手にしてくれない下っぱだって、必要なとき、すぐに薬を手に入れられたら便利だろう？　だれに言ったらいいとか、どこへ行けば助けてもらえるとか——」

耳をふさいでしまいたかった。

沙々は歯を食いしばって、かたちばかりの礼儀《れいぎ》をつくすと、中へと駆《か》けもどった。

「あ、おい、待て！」

言祝《ことほき》や玉虫《たまむし》が帰ってきても、仲丸の物言いについて、口に出すことはしなかった。

「あら沙々、どことなく元気がないのではなくて？」

「……たまには、そんな日もあるんです」

話したとしても、玉虫には、

「女官たるもの、はい、はいと聞きながしてこそですよ。えらぶりたい殿方《とのがた》には、えらぶらせておけばいいのです」

と言われてしまいそうだし、言祝に、

「それっぽっちのことを気にしているのか。すぐかっとして、ほんとうに火の玉だな」

とあきれられたなら、言祝《ことほぎ》のことまでうらんでしまいそうだったからだ。

そのうえ、草を調べたり、薬をつくらせたりと仲丸《なかまる》のしたことが、人びとの役に立つことだと認《みと》めないわけにはいかなかった。それがまた、くやしいのだ。

あくる朝になっても、胸《むね》は晴れなかった。

もやもやとした気持ちが出口を探《さが》してうごめくのを、どうしようもなく持て余《あま》していた。

だが、いつまでも仲丸のことを気にしつづけるのも、腹立《はらだ》たしい。

だから沙々《ささ》は、まわりにも自分自身にたいしても、なんでもないふりをしとおすことにした。

「天は地を映《うつ》し
地は天を映す
清流《せいりゅう》　漏刻《ろうこく》　箒星《ほうきぼし》
水は流れ　星も流れ　時も流れども
水は水面《みなも》に星を留《とど》めて　その時をも留めん」

それでも、香炉《こうろ》にふりかけるときは水をこぼしてしまったし、氷の剣《つるぎ》をふるっても、まっすぐ切り裂《さ》けずにゆがんでしまった。

「調子がよくないな。きょうはやめておくか？」

「ううん、行かせて。倉に史書《ししょ》がないか、探《さぐ》ってくるんだから」

沙々は冷えきった空気を胸の底まですいこみ、はきだして、くちびるを引きむすんだ。

少しゆがんだ裂け目でも、言祝の正確《せいかく》な星図のおかげで、問題なく過去《かこ》わたりはできたらしい。

池と松原のようすは前と変わりなく、建物のならびもそのままだ。

すぐに、沙々は板屋《いたや》のうらをめざした。水盆《すいぼん》にしずめた星図にえがかれていたのは、前の過去わたりから数日たった星もようだったが、弥乃売《みのめ》はあいかわらずそこにいた。

「めのう玉をよりわけるのは、終わったの？」

沙々が声をかけると、弥乃売はにっこりした。「どこへ行っていたの」とも、「どうしてまた来たの」ともうるさく聞くことなく、あたりまえのように笑いかけてくれる弥乃売のおおらかさが心地よかった。

「ええ、なんとか。今は絹糸《きぬいと》を通しているの」

持ちあげてみせた糸には、小さな紅色《べにいろ》のつぶが連なっている。

「あたし、倉に行かなくちゃいけないの。でも、どう行けばいいかわからなくて。行きかたを教えてもらえると、助かるんだけど……」

「もうじき、ぜんぶ通してしまえるわ。そうしたら案内できるから、待っていてもらえる？」

「もちろん」

それは、願ったりかなったりだ。

弥乃売《みのめ》の手もとにある小皿には、めのう玉はあと数えられるほどしか残っていない。氷の剣《つるぎ》がとける心配もなく、すぐに終わるだろう。

沙々《ささ》は腰《こし》をおろして、弥乃売の指先が規則《きそく》正しく動くのを見つめていた。

「……弥乃売は、えらい人たちにむちゃくちゃなことを言われて、おこったりしないの？」

「むちゃくちゃなこと？」

「時期がほとんど過《す》ぎているのにふきのとうをとってこいとか、砂利《じゃり》にまぎれためのう玉をぜんぶ拾えとか。あたしだったら腹立《はらだ》たしくって、頭に来てしかたがないよ」

弥乃売は首をかしげながらも、めのう玉に糸を通す手を止めなかった。

「おこりは……、しないかな」

「どうして？　こんなにひどいことをさせられているのに！」

沙々の中で炎《ほのお》があばれるようだった。

言祝《ことほき》にも玉虫《たまむし》にも言えないでいた、もやもやと胸《むね》をふさぎ、のたうちまわるような気持ち——

気づけば、仲丸《なかまる》にされた仕打ちを、弥乃売に打ちあけていた。

「そんなことがあったの……」

痛《いた》ましげに、弥乃売がつぶやいた。すべてのめのう玉が連なり、指先がくるくると糸に結び目をつくる。

「龍宮《りゅうぐう》は、うんとおだやかで、豊《ゆた》かで美しいところだと思っていたけれど、そういうばかりではなかったのね」

「はい？」

とつぜんふってわいたその言葉に、沙々はあわてた。

「りゅ――龍宮って？」

「あら、沙々は龍宮から来ている子なのじゃない？」

勢《いきお》いよく首を横にふった。

「どうして龍宮だなんて！　もしかしてあたし、そんなにへん？　ういて見える？」

「そうじゃないの。はじめて会ったとき、すごくきれいな衣《ころも》を着ていたでしょう？　髪《かみ》も輪にして結《ゆ》わっていて……。天女《てんにょ》さまか、龍宮のお使いだと思ったの」

――ああ……、七十年前のかっこうをしていなかったから。

はじめてひとりで過去《かこ》わたりをし、蘇我《そが》の邸《やしき》を目にしたときのことだ。だれかに姿《すがた》を見られるだなんて思いもせず、言祝《ことほき》にも注意されず、ふだんの衣《ころも》のままだった。

「それに、いつもふっとあらわれて、風のようにいなくなるじゃない？」

「残念だけど、天女《てんにょ》さまでも龍宮《りゅうぐう》のお使いでもないよ。弥乃売《みのめ》だって、今の話を聞いてわかったでしょう？　あたしはえらい人におこっているだけの、ただの召使《めしつか》いなの」

「じゃあ、そういうことにしておくね」

笑《え》みをこぼした弥乃売は、玉かざりを巻《ま》きつけてたばねた。

そしてふと、彼女《かのじょ》の目に、これから雨がふりそうな空のようにかげりがさした。

「……雲の上にいるような身分のお方たちは、きっと、ひどいことをしているだなんてお思いじゃないと思うの」

「えっ？」

「だって、ご自分で季節の過《す》ぎかけたふきのとうを探《さが》したり、玉かざりをなおしたりすることって、きっとない方がたでしょう？　それがたいへんなことだなんて、考えもしないんじゃないかしら。地べたのあたしが遠い雲の上にむかって声をあげておこったって、届《とど》きはしないし、しかたのないことじゃない？　沙々《ささ》をつきとばしたその人も——たぶん、ひどいことをしたり、言ったりしたつもりはないんだわ」

沙々はまばたいた。

「もしかしたら……、まわりにいる人たちに、『あれは不運な事故《じこ》ですよ』『その者がふんばらなかったのが悪いのです』というふうに言われて、そうにちがいないと思いこんでいるのかも」

それは、仲丸《なかまる》ならばありそうなことだった。

なまいきな女官《じょかん》見習いが水たまりに落ちたと仲丸が話したなら、「つきとばした仲丸が悪い」とたしなめる人は、きっと、ひとりもいないのだ。

「……だから、しかたがないってがまんするの？」

ほんとうにあったことをねじまげられても、「そのとおりでございます」とすませてしまうだなんて、沙々にはできそうにもない。

弥乃売は答えずに、すそをなおして立ちあがった。

「待たせてしまってごめんなさい。倉へ行くのよね？　いくつかあるけれど、沙々が行きたいのはなんの倉？」

「たいせつな書物がしまってあるところ」

「だったら、きっと経庫《きょうこ》ね」

弥乃売《みのめ》の横顔をながめて、沙々《ささ》ははたと思いだした。そしてがくぜんとした。

『かしらはたぶん、そんなふうに思ってなかったよ。あたしなんて、かってに住みついた、ちょろちょろしてるだけのすずめの子――その程度《ていど》だったと思う』

『口べらしで捨《す》てられなかっただけ、よかったんじゃないかな』

自分が言祝《ことほき》にそう語ったのは、たった二年前のことだ。

かしらや引き手の兄さんたちが気にかけてくれることなどなかったのを、おこりもせず、悲しみもせず、あのときの沙々はあたりまえだと思っていた。

言祝と出会わなかったなら、沙々は今でも、「しかたがない」ですませてしまっていたのかもしれない――弥乃売と同じように。

上役のところへ玉かざりを持っていく弥乃売と別れた沙々は、守番《もりばん》に「ねずみよけの毒《どく》えさを持ってきました」と言い、経庫《きょうこ》に入れてもらった。

ねずみは書物にとっておそろしい敵《てき》だ。倉は地面からのぼってくる湿《しめ》り気《け》とねずみから中身を守るために高床《たかゆか》につくられ、さらにねずみ返しがつけられる。それなのに、どうしてかもぐりこむねずみはいるものだ。その歯でたいせつな書物をずたずたにされないために、言祝も玉《たま》虫特製《むしとくせい》の毒えさを、書棚《しょだな》にしのばせている。

あやしまれずに経庫に入りこめた沙々だが、けっきょくのところ、『天皇記《てんのうき》』と『国記《こくき》』合わせて十余巻《じゅうよかん》どころか、ひとつの巻すら見つけられなかった。

——ここにあるのって、お経《きょう》ばっかり。

肩《かた》を落として、氷室《ひむろ》にもどった。

言祝に板屋《いたや》から経庫までの道すじを伝えて、新たにかきたされた図面を見おろす。

「たいせつな書物をしまうところは経庫って決まっているんでしょう？　なのに、お経しかなかったの」

「そりゃあ、ふつう経庫は、経典《きょうてん》をしまうところだからなぁ」

笑う言祝にむっとして、

「笑わないでよ」

「悪い、悪い。ひょっとすると、宝物庫《ほうもつこ》のほうにあるのかもしれないな。じゃなきゃ、私室《ししつ》の厨子《ずし》に入れているのか」

「ずし？」

「書物やこまごましたものをしまっておく、とびらつきの戸棚だ。まあ、仏像《ぶつぞう》や経典を入れる人もいるが」

言祝《ことほき》からふっと笑《え》みが引っこんで、まっすぐにひとみをのぞきこまれた。

「……なにか、いやなことでもあったのか？」

沙々《ささ》はどきりとした。なんでもないふりをしとおそうと決めたのに、ぜんぶ見通されてしまいそうで、急いで目をふせた。

「あちらで、おそろしい目にあったんじゃないか？　だれかにいじめられたり、追いまわされたり」

「どうしてそんなことを聞くの？」

「沙々が、なんだかうかない顔をしてるからだ」

「うかない顔……、してる？」

「ああ、しているな」

なんでもないふりをつづけようにも、鼻がつまっていて息ができないぐあいだった。目から、なにかがこぼれそうな気配さえした。

それに今は、うかなくない顔をするにはどうすればよいのか、わからなかった。

たまらなくなって、胸《むね》の奥《おく》からしぼりだした。

「雲の上の人に、ひどいことを言われたり、されたりしても……、おとなしく言うことを聞くのが正しいの？」

「蘇我《そが》のだれかが、沙々になにかしたのか」

けわしい表情《ひょうじょう》になった言祝に、沙々はかぶりをふった。仲丸《なかまる》と弥乃売《みのめ》のおもかげが、頭の中でうずまいた。

「そういうわけじゃないよ。でも――考えちゃうんだ。いやなものはいやだとおこるあたしって、おかしいの？」

「おかしくない。ぜんぜんおかしくないぞ」

ふるえだした沙々の手は、大きな手のひらで包まれた。

「そういった怒《いか》りは、自分を守ろうという力になるし、人を助けようと思う力になる。だって、おまえさんは身をもって知っているはずじゃないか。沙々がおれにつかまったのは、真桑《まくわ》姉《ねえ》さんがさらわれたのをおこって、助けようとしたからだったろう？」

沙々は、ふるえを止めようとしてくれている骨《ほね》ばった手を見つめ、その手の持ち主を、おずおずと見あげた。

「なにがあったのかは、今回のところは聞かないでおいてやるさ。けどもし、蘇我の邸《やしき》でいやな目にあったなら、すぐに逃《に》げてくるんだぞ」

「そんなふうにしたら、あたしの務《つと》めはどうなるの？」

「それは二の次だ。あとのことは、おれが考える」

それはおかしな話だった。沙々《ささ》のつごうこそが二の次で、過去《かこ》わたりというとくべつな務めのための女《め》の子《こ》として引きいれたのが、言祝《ことほき》だったはずだ。

だというのに、これでは、務めよりも沙々のほうを案じているように聞こえてしまう。

そんなこと――雲の上のお方である舎人《とねり》さまは、よろこばないにちがいない。

十二、皇極天皇《こうぎょくてんのう》四年六月

過去《かこ》わたりからもどるたび図面はかきたされて、木切れは今や、ひとめ見て広大な邸《やしき》をえがいたものとわかるようになっていた。

かんじんの書物のありかさえはっきりすれば、燃《も》えさかる中でもまようことなく行って、帰ってくることができそうだ。

あの日から、顔を合わせるのが気まずくて、弥乃売《みのめ》の姿《すがた》は探《さが》していない。

沙々《ささ》はひたすら、建物を、道を、景色を観察し、ただ覚えて、帰って、報告《ほうこく》するという務《つと》めをはたしていた。

目的の書物を手に入れに行くときが近いと判断《はんだん》した言祝《ことほき》は、乙巳《いっし》の変《へん》が起きる皇極天皇《こうぎょくてんのう》四年の六月――まさにその月の星図を過去わたりのためにかくようになった。

なんどか宝物庫《ほうもつこ》の周囲《しゅうい》を探《さぐ》ってみたが、経庫《きょうこ》の三倍はありそうな倉であり、見張《みは》りの厳重《げんじゅう》さも群をぬいていた。ねずみ用の毒《どく》えさを持ってきたくらいで、入れてもらえるとは思えない。

——宝物庫《ほうもつこ》は、唐《とう》や半島からの贈《おく》りものでうまっている気がする。

それとなく聞いてまわった話に照らしても、書物は置かれていない気がした。危険《きけん》をおかして入るよりも、宝物庫はあとまわしにしようと決めた。

——きっと、私室《ししつ》に持ちこまれているんだ。

沙々《ささ》は、今となっては見慣《みな》れた棟《むね》の庭先で、手巾《しゅきん》をぶらさげてうろうろしていた。手巾を手にしていれば、だれかに声をかけられたとしても、「そうじをしに来た」「かざりものの手入れをしに来た」——いくらでも言いわけができる。

とはいえ、大臣《おおおみ》の私室がある棟にあがるとなると、まったく緊張《きんちょう》しないというわけにはいかなかった。

見とがめられることなく、くぐり戸からもぐりこんだ沙々だったが、高い塀《へい》でかこまれ、入りくんだつくりの建物は、気を張《は》りつめさせる。沙々はつばを飲みこみ、手巾をにぎりしめた。

水桶《みずおけ》を運ぶ少女、草むしりのため背中《せなか》を丸めている人、もすそをさばいて沙々を追いぬいていく女性《じょせい》。みな、こちらに気がつき、ちらと見はするが、それだけだった。だれも気に留《と》めることなく、自分の仕事にむきなおる。そのようすに沙々は勇気をもらい、廊《ろう》や部屋のぐあいに気を配るゆとりができた。

風のない日だった。魔《ま》よけのさげかざりはゆれることなく、だらんと軒先《のきさき》にぶらさがっている。むし暑く、手のひらでこっそり顔をあおいだ。板じきの廊は湿《しめ》り気《け》をふくんで、油断《ゆだん》すると足をとられそうになる。

武具《ぶぐ》をたずさえた男たちに頭をさげるふりをして顔をかくし、中庭を通りすぎる。

「おい、むすめ」

足がすくんだ。口の中がからからで、返事もできない。

肩《かた》ごしに目だけでうかがうと、男たちは、なんと、べつの廊から出てきたらしい若《わか》い女性に笑《え》みをむけていた。姿《すがた》をほめそやす言葉が聞こえてくる――沙々をよびとめたのではなかったのだ。

どっと汗《あせ》がふきだした。

へたりこみそうになるのをこらえ、かかとに力をこめて、沙々は歩みさった。

美しい細工の留《と》め金《がね》が戸についているが、少しでも涼《りょう》をとろうというのか、開けはなたれている部屋が多いのはありがたかった。もしくは、しめきってしまえば、なにか悪いものがたまってしまいそうな気がするのかもしれない。首をのばして、白い壁《かべ》の室内をたしかめていった。

――卓《たく》とうるし塗《ぬ》りのいす……。たぶん、お客と話すための部屋だ。

――ああ、ここには小さな仏《ほとけ》さまがまつられている。

かざり格子《ごうし》で目かくしになった角を曲がると、ないでいた風が吹《ふ》きよせた。

そのとき、廊《ろう》の先で、沙々《ささ》をまねくかのように薄絹《うすぎぬ》がふわりとひるがえった。予感がして、沙々は胸《むね》をおさえた。

さいわい、あたりに人気《ひとけ》はない。それでも息をひそめ、薄絹ごしに室内を観察した。

きらきらと細工のかがやく調度品。大陸から来たものだろう、金糸銀糸《きんしぎんし》で花が織《お》りだされた厚《あつ》い錦《にしき》。――大臣《おおおみ》である蘇我蝦夷《そがのえみし》、その人の私室《ししつ》にちがいなかった。

薄絹の下をくぐり、すばやく部屋の中を見まわす。壁棚《かべだな》にはすかし彫《ぼ》りの香炉《こうろ》、ひすいの馬がかざられている。卓《たく》にはいくつか巻子本《かんすぼん》が積まれていたが、どれもまつりごとに関するものらしかった。

『じゃなきゃ、私室の厨子《ずし》に入れているのか』

言祝《ことほぎ》の言葉を思いだし、それらしいものを探《さが》した。

「厨子って……、これのこと？」

沙々よりも頭ひとつぶん高い。顔が映《うつ》るほどにつややかなうるしに、雲や鳥をかたどった金具がまばゆい。

戸棚というより塔《とう》に見えるつくりで、天辺《てっぺん》にはふしぎなことに屋根がかぶさっている。ごうかで、いかにもたいせつなものをしまいたくなる風情《ふぜい》だ。

正面にある留《と》め金《がね》を、息をつめてはずす。ふるえる指先で、金具についたかざりひもをつまみ、両開きのとびらを引きあけた。

あらわれたのは――優美《ゆうび》な仏像《ぶつぞう》だった。ふくらんでいた期待はたちまちしぼんだ。

沙々はぎゅっと目をつぶり、ふたたび開いた。仏像は十余巻《じゅうよかん》の書物に姿《すがた》を変えはしなかった。

肩《かた》を落とし、もとどおりにとびらをしめようとして、かざりひもの糸が引っかかってしまった。うんざりしながらかがみこみ、どこに引っかかったのかと目をこらして――手を止めた。

背《せ》の高い厨子であるのに、仏像がおさめられている部分はせまい。その下にある胴《どう》の部分がほとんどで、物入れとして、ずいぶんもったいないつくりをしている。

その胴の前面、こまやかなうるし絵にいろどられた板が、わずかにういている。ういた角に、かざりひもの糸がはさまっていた。

――もしかして。

角につめを立てて、板を手前に引いた。あっけなく、ぱかりとはずれた。

中には二段《にだん》になった棚があり、古びた墨《すみ》のにおいをまとった巻子本が整然とおさめられている。

手にとり、巻《ま》きつけられたひもをほどく。汗《あせ》ばんだ手のひらを衣《ころも》でぬぐって、するすると軸《じく》から紙を引きだす――。

見つかった。

ついに、見つけるべきものを見つけた。

――史書《ししょ》、だ。

沙々《ささ》はおどりはねる心《しん》の臓《ぞう》を落ちつかせるために、なんども深く息をすって、はいてをくりかえさなければいけなかった。

もとどおりに厨子《ずし》の板をはめ、留《と》め金《がね》をかける。

なにくわぬ顔をしてくぐり戸を出るまでは、走ることもできない。

息をつめたまま、沙々は召使《めしつか》いが使うためのくぐり戸をひたすらめざした。人声《ひとごえ》がする。せわしなく立ちはたらく人びとのあいだをぬける。手伝いなさいと声がかかったが、急いでいるのですと足をはやめた。

そろそろ、大臣《おおおみ》が帰ってくるころあいなのかもしれない。いそがしげなざわめきの中を、沙々はひたすらつっきろうとしていた。

高い声音《こわね》が聞こえた。

はじめは、鳥の声だと思ったのだ。だが鳥は、「ごめんなさい」とは鳴かない。ぴしり！　とたたきつけるような音も出さない。

それは悲鳴だった。あとは、なにかがぶつかる音。

周囲《しゅうい》のだれも、たいして気にするそぶりはなかった。たしかに聞こえてはいて、眉《まゆ》をひそめたり、顔をしかめたりはしているのに、持ち場をはなれてようすを見に行こうとするものはひとりもいない。

言祝《ことほき》が言ったとおり、沙々《ささ》のお役目は一から十までが偵察《ていさつ》で、なにが起きようと、ただながめているだけが正解《せいかい》にちがいない。

それはじゅうぶんにわかっていたし、そうすべきだと自分にも言いきかせた。けれども、足がいうことをきかなかった。

沙々の足は、悲鳴が聞こえたほうへとむかっていた。萱《かや》ぶきの塀《へい》に身を寄《よ》せて、すきまから奥《おく》をのぞく。

そこは、薪《まき》やたきつけを積んである薄暗《うすぐら》い場所で、沙々と同じ年ごろの少女がうずくまっていた。その肩《かた》を、頭を、たきつけの枝《えだ》かなにかで女が打ちすえている。

「この役立たずの虫、なまけ虫め！　悪いとお思いなら、どうして最後のひとつぶまで拾いあげなかったのかえ？　夫人に顔むけできないわたしの気持ちなんぞ、その小さい頭では考えもしないのだろうねえ！」

「ごめんなさい、ごめんなさい……」

あやまる声はかすかになり、すすり泣きに変わった。

上役が、はしための少女をいじめているようにしか見えなかった。細い枝のたくさんつきでたたきつけは、大きくふりかぶられ、ふりおろされるたびに、ぴしゃりぴしゃりとするどい音を立てる。

「さあ、そのきたない泣き顔をおあげ！　おまえがほんとうに反省しているかどうか、見てやろうじゃないかえ」

もしかしたらと思っていたのだ。だが、そうでないようにと願ってもいた。

願いははかなく消えさった。ふるえながら上役を見あげる少女のなみだでぬれた顔に、沙々も悲鳴をあげたかった。弥乃売《みのめ》だったのだ。

弥乃売のひたいに、空《くう》を切ってたたきつけがふりおろされた。ひたいに傷《きず》ができ、血の赤が見えた。沙々はそでをかんでさけび声をこらえたが、燃《も》えたった怒《いか》りまでをこらえることはできなかった。

弥乃売《みのめ》がどんな失敗をしたのか知らないが、だからといって、上役になぐられたり打たれたりしていいわけがない。罪人《つみびと》が、衛士《えじ》や門部《かどべ》につかまって刑《けい》を受けるのとは、わけがちがうのだ。

塀《へい》のすきまに体をねじこみ、もう一度ふりおろされようとしている腕《うで》に飛びついた。

「やめて！」

弥乃売の目が見開かれた。声のかれたくちびるが、「ささ」とささやいた。

上役の女はまなじりをつりあげ、お邸《やしき》づとめとしてはあるまじき、きたない言葉をまきちらした。

「行こう！」

弥乃売の手首を引っぱって立たせると――折ってしまいそうなほどにきゃしゃな手首だ――ふたりして駆《か》けだした。

「その子どもらをつかまえて！　逃《に》がすでないよ！」

上役の金切り声が響《ひび》きわたる。

松原にむかって、沙々《ささ》は弥乃売をはげまして走らせた。腕がすっぽぬけてしまわないように、力のかげんを気をつけなくてはいけなかった。

弥乃売はなんどもひどくあえいで、ひょっとすると息が止まってしまうのではと、沙々はひやひやした。足がもつれて、二度転びかけた。

それでも、ふたりはなんとか松原のしげみに身をかくすことができた。

「いったい……、どういうことだったの？」

弥乃売は大きく肩《かた》を上下させ、むせてから、ゆっくりと息をついた。

「いっしょによりわけてもらっためのう玉、あったでしょう？」

「ちゃんと糸を結んで、もとどおりになったよね？」

「ええ、そう。でも、あたしみたいなはしためでは、夫人にお目にかかれないから……、上役の人がお返しすることになっていたの。だけど、いざ返そうという段《だん》になって、めのう玉がひとつぶたりていなかったことに気がついたのですって」

「そんなの――うそに決まってる」

あの上役は、もともとどれだけの数が連なっていたのかを知っていたのだろうか？　それで、弥乃売から受けとったものを数えなおしただろうか？　沙々は、そんなことなどしていないほうに、三日ぶんの夕餉《ゆうげ》をかけてもいいと思った。

「ぜったい、とってつけた理由だよ。あれは、むしゃくしゃしてたから、てきとうなことを言って、だれかにあたりちらしたかっただけだよ！」

それに、時期はずれのふきのとうを探《さが》すたいへんさを想像《そうぞう》しないような雲の上のお方たちが、たいへんな思いをして時間をかけて、こまかなめのう玉を数えていたはずがない。たとえ、ひとつぶなくなっていたとしても、高貴《こうき》な方なら気づかずにすんでしまいそうなものなのだ。

弥乃売《みのめ》は草の上に座《すわ》りなおし、乱《みだ》れた髪《かみ》に手をやった。

「うそかほんとうかは、あたしではわからないけれど――そう言って、しかられたのだもの。しかられたら、あやまって、嵐《あらし》が通りすぎるのを待つしかできないじゃない？」

沙々《ささ》はたまらない気持ちになって、傷《きず》のある弥乃売のひたいから髪をよけた。

「……血が出てる。手あてをしなくちゃ」

なんども過去《かこ》わたりするうちに、池に流れこむように小川がつくられていることに、沙々は気づいていた。丘《おか》のどこかに水源《すいげん》があるのだろう――小川の水はすんでいて、底では水草がなびいている。弥乃売をかがませて傷口《きずぐち》を洗《あら》い、手巾《しゅきん》でそっとぬぐった。

「薬があるといいんだけど」

弥乃売は首を横にふった。

「洗ってくれてありがとう。この程度《ていど》の傷じゃ、貴重な薬なんてもらえないわ。しかたないの。

はしためのうちでも、あたしはいちばんの下っぱなんだもの」

沙々はあたりを見まわして、立ちあがった。植えられたのか、おのずと生えたのかはわからないが、探していたものが見つかった。川辺の木から葉と小枝《こえだ》をいくらかつんで、それらを弥乃売の手ににぎらせた。

「えっと……、これは？」

「かわやなぎ。こういうのにくわしい人から教えてもらったの。あたしが熱を出したとき、かわやなぎの薬湯《やくとう》で熱がさがったのだけど、かわやなぎって、傷にもきくんだって。濃《こ》くせんじたのを塗《ぬ》るといいんだって。やってみて」

「薬、なの？」

沙々はうなずいた。

「……ねえ、弥乃売。しかたなくなんてないよ。あたしたちだって、おこってもいいんだよ。相手が自分よりえらくて、どうにもならなくても、気持ちまであきらめることないよ。ひどいって思えば、自分を守ろうってふるいたつし、ひどい目にあっている人を助けたいって思う力にもなるから」

ふところに入れた氷の剣《つるぎ》が、残りわずかまでとけているころあいだと気づいていた。そろそろここをあとにしなくては、裂《さ》け目《め》がとじきってしまう。

弥乃売《みのめ》の手に力をこめながら、沙々《ささ》は早口に言った。

「今月の戊申《つちのえさる》の日、たいへんなことが起こるの。その翌日《よくじつ》にはお邸《やしき》に火がつけられて、ぜんぶ燃《も》えてしまう……。だから、弥乃売はここにいてはだめ。逃《に》げて」

「どういう、こと？」

「それは話せないの。なのにこんなこと言うのはへんだけど、信じてくれる？」

皇極天皇《こうぎょくてんのう》四年の六月、戊申の日――息子の入鹿《いるか》を失った蘇我蝦夷《そがのえみし》は、そのあくる日、邸に火をはなつ。自分の命とあらゆる宝物《ほうもつ》、そして、『天皇記《てんのうき》』と『国記《こくき》』を焼いてしまう。

沙々がそうだと知っているのは、沙々が先の世から過去《かこ》わたりをして来ているからだ。今、このときを生きている弥乃売に、教えていいはずがない。わかってはいるのに、伝えずにはいられなかった。

「……龍宮《りゅうぐう》の人だから、沙々には、これからなにが起こるかがわかるの？」

「そう思ってくれるのでもいいよ」

祈《いの》るような気持ちで、沙々は弥乃売の手をはなした。

「逃げだして、元気でいてね！」

弥乃売と小川に背《せ》をむけ、裂け目まで駆《か》けもどった。ほとんどとじたすきまに肩《かた》を押《お》しこむようにして、中へとすべりこむ。

藁《わら》の包みをむしるようにほどいて、水盆《すいぼん》の上でふると、小さな氷のかけらがこぼれ落ちた。

思わず長ながとはきだした息は、真っ白に染《そ》まった。

真夏の蘇《そ》我《が》氏《し》邸《てい》から一転、ああ帰ってきたのだと、氷室《ひむろ》の寒さに両腕《りょううで》をさすった。

十三、報告《ほうこく》にあがる

蘇我《そが》の邸《やしき》も暑かったが、平城京《ならのみやこ》も夏のさかりをむかえようとしていた。

空はひと雨ごとに青さにみがきをかけ、日ざしは銀の矢のようにするどさをましていく。

私室《ししつ》の厨子《ずし》の中にあるとわかったことで、『天皇記《てんのうき》』と『国記《こくき》』を持ちだすための図面ができあがった。

あとは、蘇我の邸に火がはなたれるその日、その時間に言祝《ことほぎ》が過去《かこ》わたりをして、厨子のかくし戸の中から巻子本《かんすぼん》をそっくり持ってかえってくればよい。

「完成だ……。沙々《ささ》、おまえさんはほんとうにたいしたやつだ」

言祝はじょうきげんで、ふだんあまり口にしない酒をふくみ、沙々のためにみずみずしいくだものが用意された。めったにないほど大きなびわの実だ。やまぶき色の実に歯を立てるとやわらかく、ほのかにしぶみがあるものの、たっぷり汁気《しるけ》があって甘《あま》かった。

「沙々にはなにかほうびをやらなくちゃ、おれにばちがあたるな。なにが欲《ほ》しい？　この際《さい》、とびきりのものだっていいぜ？」

「ほうびと言われても……」

とくに思いつかない沙々だった。衣服は玉虫《たまむし》が見立ててくれるのでこまることはないし、紙がたいへん貴重《きちょう》なのは知っているが、勉強に必要なぶんは使わせてもらえている。挿頭《かざし》は、欲しいと思ったことがない。どんな挿頭であっても、見ればきっと真桑姉《まくわねえ》さんを思いだしてしまう。

「今思いつかないのなら、考えておけよ。……そうだ。舎人《とねり》さまに、おめあてが見つかったと報告《ほうこく》にあがらないとな」

舎人親王《しんのう》のもとに参上するのは、気が進まなかった。とるにたらないものとして見られるのがいやだったし、仲丸《なかまる》もいるかもしれない。

だというのに、言祝は沙々を連れていきたがった。それでしかたなしに、沙々もつきしたがうことになった。

言祝は玉虫に命じ、沙々にいちばんよい衣《ころも》を着させた。玉虫は腕《うで》によりをかけて衣と帯を選びぬいた。たんねんにくしけずり、髪《かみ》のふさをふくざつに結《ゆ》いあげた。言祝は満足げで、さっそく使者を舎人親王のところへ走らせた。

萱《かや》ぶき屋根も、瓦《かわら》屋根も雨つぶをやどしてまぶしくきらめき、ときおり、かげろうがゆらめいた。昨晩《さくばん》の雨は、しとしとやさしくささやくようなふりかたではなく、石つぶてを打ちつけるかのようなどしゃぶりだった。しかし、明けがたにはからりとして、今の空は瑠璃《るり》の色、雲はきわだつ真っ白だ。

はじめて舎人親王《とねりしんのう》にお目にかかったのも雨あがりの日だったと、沙々《ささ》は思いだした。あのときはぬかるみにまかれた砂《すな》の上を歩いたが、きょうは、すそがよごれてしまわないようにと、言祝《ことほき》が馬を引きだした。

言祝のようにまたがって乗ろうとして、玉虫《たまむし》の声が聞こえた気がした。女官《じょかん》たるもの、足を開いて馬に乗るべからず！　横座《よこずわ》りをして馬にゆられるのは、おしりが痛《いた》いうえにぐらぐらした。はっきりいって、落ちそうだ。貴《とうと》い身分の女性《じょせい》がすまし顔のまま移動《いどう》するのは、どんなにたいへんなことだろう。

言祝にしがみつくようにして、やっとの思いで曹司《ぞうし》にたどりついた。慣《な》れない横座りのせいで馬のゆれによってしまい、朝餉《あさげ》がもうひと押《お》しでもどりそうな場所までのぼってきていたのを、さすってなんとか腹《はら》のほうへむかわせた。

風はそよいでいたが、気分をすっきりさせるにはぬるすぎる。それでも、背筋《せすじ》を無理にでものばすと、気持ちが引きしまった。

図面完成のご報告《ほうこく》にあがると使者を立てたはずだが、舎人親王は、以前と同じ部屋で、以前とほとんど同じ立ち姿《すがた》で沙々たちをむかえた。

仲丸《なかまる》の気配がないことにほっとする。

「おもてをあげよ。便りには目を通した。例の図面ができあがったとな」

言祝は勢《いきお》いこんで答えた。

「はい。史書《ししょ》は、蘇《そ》我《がの》蝦夷《えみし》の私室《ししつ》の厨子《ずし》の中だったのです。しかも、かくし戸がついておりました。正面のとびらを開いただけでは、ありがたい仏《ほとけ》さまをおがむためのものとかんちがいするように、わざとそう仕立てたのでしょう。めあての巻子本《かんすぼん》がおさめられていたのは、その下──胴《どう》部分のほうです」

「その厨子から、蝦夷めが、どこぞに移《うつ》すことは考えられぬか？」

「沙々が厨子の中に見つけたのは、丘《おか》の邸《やしき》が燃《も》えるわずか九日前のことです。そのあと十日もないあいだに、かくし場所を変えようとは思わないのではないかと」

「そうか」

それから、沙々があまり興味《きょうみ》をもてない話を、彼《かれ》らはいくつかかした。『天皇記《てんのうき》』と『国記《こくき》』を持ってきたなら、新しい史書の分量がどれほどふえそうか、編纂《へんさん》作業の人手をふやすため追加人事をするか、などなど。

言祝《ことほき》は、沙々《ささ》が過去《かこ》の世にどれほどとけこみあやしまれなかったか、これだけの短いあいだに結果を出した働きぶりについて、ことこまかに報告《ほうこく》したがっているようだった。だが、思うように話すすきはあたえられなかった。

舎人親王《とねりしんのう》にしてみれば、それらはどうでもよいことなのだ。長らく求めていたものが手に入りさえすれば、それでよい。沙々が失敗したならごきげんをそこねてしまうだろうが、まっとうな働きをしたならば、「そうか」ですむ。ちっぽけなむすめの働きぶりなど、きっと、お耳に入れるほどのことではないのだ。

言祝も、ようやく察したらしい。報告は手短にすませ、沙々のあれこれについては飲みこんだ。

――帰ろう。

沙々のおくれ毛をえんりょがちに整えた言祝の指が、そう言っているかのようだった。

退出《たいしゅつ》のあいさつをして、ふたりしてさがろうとした、そのとき。

宙《ちゅう》を見つめていた舎人親王がひげ先をひねりながら、つぶやいた。

「つまり……、その女《め》の子《こ》は、今や用ずみということになるな」

「はい?」

言祝の眉《まゆ》がひくついた。用ずみとは、おだやかではない言葉だ。

「そちには妻《つま》も子もなし。すでに女官《じょかん》をひとりつけてやっているのだから、あれに住まうのに不便はあるまい」

「たしかにわたしは独《ひと》り身で、これまで不便を感じたことはございませぬが。……沙々のことと、いったいどういったかかわりがあるとおっしゃるのです？」

「仲丸《なかまる》がな、ものずきなことに、そこの女の子を邸《やしき》に引きとりたいと申しておる。年長のゆきとどいた女ばかりに育てられたあやつにしてみれば、同じ年ごろで市育ちの、それがものめずらしいのであろうな。女の子にとっても、藤原《ふじわら》の家で仲丸つきとなれるのは、このうえないほうびとなろう？」

沙々は、息が止まってしまうのではないかと思った。

――いやだ……そんなのいやだ！

ほうびどころか、なんという罰《ばつ》だろう！

やめてくださいと、大声でさけびたかった。

ひどいと思うならおこればいい。それは自分を守ろうという力になるし、人を助けようと思う力になる――だが、今そうしたならどうなるかは、はっきりしていた。言祝の立場が悪くなってしまう。

言祝《ことほき》はとくべつな務《つと》めのための、とくべつな星読みだ。だが、それだけなのだ。親王さまに口答えできるような大貴族《だいきぞく》ではない。務めのためだからこそ、今の暮《く》らしがあるのだ。舎人親王《とねりしんのう》が、「沙々《ささ》を仲丸《なかまる》にやれ」と命じるならば、従《したが》わざるを得《え》ないだろう。だだをこねてしまわないように、沙々はくちびるをかんだ。そして、言祝が「おおせのままに」と口にするのを待った。

――せめて手ばなすのをおしんで、しぶしぶ言ってくれたらいい。

言祝の答えは、思いのほかはきはきしていた。

「申しわけございません。もっと早くおっしゃっていただければ、そうできていたかもしれませぬが」

――えっ？

沙々は耳を疑《うたが》った。わけがわからない。

「図面に最後の筆を入れたとき、わたしは沙々に、ほうびになにが欲《ほ》しいかを聞いたのです。なんと答えたと思います？　ずっとおそばでお仕えさせてくださいと、けなげなことを申したのですよ」

もちろん、沙々はそんなことを言っていない。

「おまえならば女官《じょかん》として、もっと大きなお邸《やしき》で働けるかもしれない。だのに、わたしの世話を焼くだけで若《わか》い身空《みそら》をふいにしてよいのかと、たずねましたとも！　それでも、そばに仕えたいというのですから、わたしはうけあったのです。それを今になってひるがえすことは、いくら仲丸どのに望まれたのであってもできますまい。約束したほうびをやれないようでは、主人どころか、人でなしになりさがってしまいますから」

沙々は目を疑った。舎人親王の口もとに、笑《え》みのようなものがのぼったのだ。

「なるほど。すでに先約があったとなっては、しかたあるまいな。その約束を反故《ほご》にしろと命じるようでは、われこそ品位を疑われよう。――さがってよいぞ」

曹司《ぞうし》をあとにしてからも、沙々は信じられない思いでいた。

よほどぼうっとしていたのか、馬の背《せ》でゆられていても気分が悪くなるどころか、乗っていたあいだの記憶《きおく》がまるでなかった。

「言祝――なんで、あんなでまかせを言ったの？」

言祝はまばたいて、

「なんだ？　おまえさん、仲丸のところへ行きたかったのか？」

「ううん、ぜったいいいや！」

「だったら、よかったじゃないか」

「……あたし、ずっと言祝《ことほぎ》にお仕えするの？」

　こちらはしんけんだというのに、言祝は吹《ふ》きだした。

「そうしたいなら、そうするのでもいいけどな。あんなの、その場しのぎだ。気が変わったなら言えよ。またそのときには、それらしい言いわけをひねりだしてやるから」

　そうしたいかどうかは自分でもわからなかったが、舎人親王《とねりしんのう》からとんでもない話を聞くまでは、今の暮《く》らしがつづくのだと、あたりまえに考えていた。だから、今と同じで言祝つきの女《じょ》官《かん》見習いをつづけていくのは、ちっとも悪くない。

「帰ったら、過去《かこ》わたりにいちばんよい日を占《うらな》おう。失敗は許《ゆる》されない。なんといっても、おまえさんはやりとげたというのに、おれがへまをしたなら、とんだ笑い者になっちまう」

　言祝が氷室《ひむろ》にこもって過去わたりの日どりを占っているあいだ、沙々《ささ》は玉虫《たまむし》のぬいものを手伝っていた。

　ぬいものと沙々は相性《あいしょう》が悪い。毎度毎度、思っていたのとはちがう場所からとがった針先《はりさき》が出てくるせいで、指がいつも傷《きず》だらけになってしまう。過去わたりのために着なければならないのはべつとして、言祝はたいして衣服にこだわるたちではないから、沙々がぬいもののためにかりだされることもそうそうなかった。

「それでも、ついに探《さが》しもとめていた書物を持ちかえって、舎人親王さまに献上《けんじょう》する段《だん》におなりなのですもの。そのときくらい、おろしたての張《は》りのある衣《ころも》で、いっとう身なりを整えて、しゃんとなさるべきですわ」

玉虫は言うのだった。

外はまだ明るく、明かりをともさずとも手もとがよく見える。沙々は玉虫とならんで腰《こし》かけ、うまくいかなくてもできるだけ目立たない部分をあてがってもらい、せっせと針を動かしていた。

「……聞いてもいいものかと、考えていたのですけれどね」

おもむろに玉虫が口を開いた。

「沙々は、たまわったお務《つと》めを、りっぱにはたしたわけでございましょう？　わたくしは、舎人親王さまからお役目をたまわった方がたをお世話するのが仕事ですけれど、沙々はそうではない――女官見習いをしておいでなのは、親王さまの御前《ごぜん》と、過去わたりのときに、失礼と不便がないようにというわけだったのですもの。それがすんだ今、この先はどうなさるのです？」

沙々《ささ》は手を止めた。思いめぐらせながら、指先をささずに針《はり》を動かしていられるほど、器用ではない。

「きょうまでは、自分でもわかっていなかったんです。舎人《とねり》さまがお探《さが》しの史書《ししょ》を探しあてることが、ここに置かれている理由をなくすことになるだなんて。厨子《ずし》の中に見つけて、ただうれしくて――ほこらしかった。舎人さまに『用ずみ』と言われて、やっとそうだと気づいたくらいなのです」

「用ずみ？　そんなこと、親王さまがおっしゃいましたの？」

小鼻をふくらませる玉虫《たまむし》に、沙々はうなずいた。

「今や用ずみとなった女《め》の子《こ》だ、藤原仲丸《ふじわらのなかまる》が引きとりたいと言っているから、やってもいいのでは……。そんなふうにおおせで」

「まあ！」

「でもすぐに言祝《ことほき》が――言祝さまが、話をうまく丸めこんでくださったんです。そして、ずっとそばに仕えていていいと言われました」

玉虫は目を見張《みは》り、そして、ふっとほほえんだ。

「それはたいへんよかったこと！」

沙々もあとで聞くだけならば、「ああよかった」ですんだのかもしれない。けれども、わざわざいちばんよい衣《ころも》に着がえて馬にゆられ、報告《ほうこく》のお供《とも》にあがったというのに、用ずみだの、仲丸が引きとりたがっているだの、さんざんな言われようで、嵐《あらし》のさなかに立たされている気分だったのだ。

沙々がそうこぼすと、玉虫がうんうんとうなずきながら、やさしく腕《うで》をさすってくれた。

声がつまった。

「舎人さまは……、そう、もとより、ちっぽけなむすめを一人前だなんて思っておいでじゃなかったんです。芸をしこんだけものの子ぐらいに、お思いだったのかも。それなのに、どうして言祝は、あたしを着かざらせてまで、連れていったんだろう？」

「本人に聞くまでもありませんとも！　決まっているじゃありませんか。言祝さまは、沙々をごじまんなさりたかったのですよ」

いつのまにか針は針さしにもどされて、玉虫の指があやすように、沙々の髪《かみ》をすいてくれていた。

「うちの沙々はすごいでしょう、こんな子はなかなかいませんでしょう、って。そして親王さまから、『そのとおりだとも』とお言葉をたまわって当然と考えておいでだったのでしょうね」

「そんな――そんなことのために？」

「そんなことだなんて言ってしまっては、失礼ですよ。言祝《ことほぎ》さまにも、あなたにも」

沙々《ささ》はなんと答えてよいかわからないでいるうちに、玉虫《たまむし》がふふと笑った。

「やっと合点《がてん》がいきました。帰ってきて、沙々が着がえているあいだ、言祝さまったら、ずっとふきげんにぶつくさこぼしていらっしゃいましたのよ。意気ようようとお出かけになったのに、おもしろくないことがおありだったにちがいないと、ふんではおりましたけど……。こういうわけでしたのね」

「ふきげん？　あたしにはそんなそぶり少しも――少しだって、お見せにならなかったのに」

「沙々の前では、そうふるまっていらしたんでしょう。けれども、親王《しんのう》さまが沙々のことをおほめくださらないどころか、仲丸《なかまる》さまに沙々をやってはどうだなんてお話をおふりなさるのでは、そりゃあ、聞いているのがわたくしだって、いらっといたしますわね」

玉虫にやわらかく見つめられて沙々《ささ》のほおはじわじわ熱くなり、あわてて布地《ぬのじ》にむきなおった。うっかり朱墨《しゅぼく》をあびたような、真っ赤でなさけない顔になっているにちがいない。

顔だけでなく、心《しん》の臓《ぞう》があるあたりも熱かった。

ほのかな冷気をまとって氷室《ひむろ》からもどってきた言祝は、明かりもつけずにいる沙々と玉虫に驚《おどろ》いた。

「こんなに日がかたむいているのに、どうやって指をささずにぬいものができるっていうんだ？　玉虫がいるってのに、まさか、むだ話に夢中《むちゅう》でまわりが見えなくなったわけじゃないだろう？」

沙々と玉虫はすばやく目を見交わし、笑いをこらえた。ふたりがどんな話をしていたかなど、言祝が知るよしもない。

十四、炎《ほのお》のさなか

最後の過去《かこ》わたりをしようという前日――言祝《ことほき》と沙々《ささ》とで、入念な確認《かくにん》をした。木切れの図面をなんどもたどるうち、ふたりの指先は黒くなった。

松原を出てから、どのように行くのがよいか。邸《やしき》が燃《も》えているとなれば、逃《に》げまどう人びともいるだろう。それとも火がはなたれるのは、召使《めしつか》いがみんな丘《おか》をくだったあとだろうか。

どちらにしろ、人目につきにくく、すばやく動けるところを通らなければならない。

言祝ははじめ、自分ひとりで過去わたりをすると言いはったのだが、

「燃えている邸の中に、氷の剣《つるぎ》を持っていくつもり？　あっというまにとけちゃうじゃない。あたしがいっしょに行って、剣をあずかっているほうがいいよ」

沙々の意見を認《みと》めないわけにはいかなかった。

沙々は建物の外で待ち、剣の大きさが半分になったなら、指笛で知らせる。さらに、その半分になったときは、めあての史書《ししょ》を手にしていようがいまいが退却《たいきゃく》する合図として、するどくたてつづけに二度吹《ふ》く。

気をつけるべきは、炎《ほのお》やけむりにまかれないこと、道を見失わないこと。けむりをすわないように、姿勢《しせい》を低くすること。

十巻《じっかん》余《あま》りの書物を背負《せお》うために、ぬいあわせたがんじょうな包《つつ》み布《ぬの》も用意し、すべての準備《じゅんび》が整った。

東にのぼった月は、淡紫《あわむらさき》の空にうかんでいてもくっきりと見え、あすはまちがいなく晴れるだろうことを知らせていた。

「ねえ、言祝」

「どうした？　もう寝《ね》るんじゃなかったのか」

言祝こそ、あすにそなえて早く休むつもりらしかった。そんなときにわがままを言うようで気がとがめたが、言わなければ、それはそれでくやむことになるだろう。

「あしたの過去わたりで使う星図、もうかいてあるんでしょう？　それを貸《か》してもらえないかな」

「なぜ？」

言祝がいぶかしげな顔をするのももっともだ。沙々の過去わたりのためにかいてくれた星図もけっしていいかげんのはずはないが、あすのぶんはとくべつ、たんねんに注意をはらったにちがいないのだから。

「かき写したいの。だってあたしの過去《かこ》わたりは、これきりでしょう？　だから最後に、あしたの星図の写しを自分のお役目の記念にしたいんだ」

言祝《ことほき》は、しぶらないわけではなかったが、だめだというほど薄情《はくじょう》でもなかった。

「墨《すみ》の小さなひとはねだって、とばすなよ。それだけで、おれたちの生き死にが決まるかもしれない。あしたはただ見物に行くわけじゃない。星図がくるって、炎《ほのお》のうずの真ん中に出るようなことになったら、逃《に》げかえるまでもなく終わりかもしれないんだからな」

「はい！」

受けとった星図をささげもつようにしながら、沙々《ささ》は自分の部屋にもどった。

そして息をつめ、羽虫の足あとほどもよごさないようにしんちょうに、最後の星図をかき写した。

京《みやこ》の朝は早い。

日の出より前に、門を開く第一の太鼓《たいこ》が打ち鳴らされ、ようやく東の空が白むころ、第二の太鼓が響《ひび》きわたる。官人《かんじん》も貴族《きぞく》も、第二の太鼓のころには出仕《しゅっし》していなければならない決まりだ。

だが沙々たちは、力をたくわえるために、第二の太鼓のあとまで眠《ねむ》っていた。星図を写していたせいで寝具《しんぐ》にくるまったのはおそい時間だったが、よく寝《ね》られてすっきりした。

思ったとおりによく晴れていて、じっとり暑かった。

氷室《ひむろ》でこごえてしまわないよう、入念に汗《あせ》をふく。きょうかぎり着ることもないだろう、やぼったく見える衣《ころも》にそでを通し、七十年前にふさわしい召使《めしつか》いの少女になった。

今回ばかりは、水盆《すいぼん》に注ぐ水も井戸水ではなく、山の霊水《れいすい》だ。言祝は桶《おけ》を、沙々は包《つつ》み布《ぬの》を手に、玉虫《たまむし》に送りだされて地下へとくだった。

黄泉《よもつ》平坂《ひらさか》みたいだと思ったのが、はるか昔の気がする。とろりとした闇《やみ》の通路は、視界《しかい》をふさいでしまうが、それだけだ。今ではおそろしくもなんともない。

かんぬきをはずす音がする。開いたとびらのすきまから青と星の光がこぼれて、沙々をまねいた。

ふたりとも無言だった。昨晩《さくばん》沙々が返した星図を、言祝は瑠璃色《るりいろ》の光の中でとっくりとたしかめた。問題なかったようで、彼《かれ》はうやうやしく水盆の底に入れた。霊水が注がれた。沙々の好きな、墨のすっきりとした香りが、いつもより豊《ゆた》かに立ちのぼった。

言祝が息をすいこんだ。その音は、静けさに波紋《はもん》となって広がって、彼の声を待ち受けた。

「四神《しじん》　十二支《じゅうにし》　日月星辰《じつげつせいしん》

天は地を映《うつ》し
地は天を映す
清流《せいりゅう》　漏刻《ろうこく》　箒星《ほうきぼし》
水は流れ　星も流れ　時も流れども
水は水面《みなも》に星を留《とど》めて　その時をも留めん」
文言がくさびのように、宙《ちゅう》に、水に、きざみこまれていく。
霊水《れいすい》のつぶてが言祝《ことほき》の手からはなたれると、香炉《こうろ》のけむりがひときわ高くあがった。甘《あま》く苦いにおいがたちこめる。床《ゆか》の瑠璃《るり》の円がいつもよりも明るく感じられて、けむりのとばりまでが瑠璃色に染《そ》まって見える。くらくらした。
藁《わら》からとりだされた剣《つるぎ》は、これまで目にしてきたものよりもひとまわり大きい。いつもどおり型《かた》でつくったのではなく、霊水をべつにこおらせた氷を言祝がたんねんにけずりだし、みがいて、絶妙《ぜつみょう》な大きさにしあげたのだ。
水盆《すいぼん》に静かにしずんだ剣は星図をくっきりと映し、そして、言祝の手ににぎられた。
一線――一閃《いっせん》。
裂《さ》けたとばりに手をかけて、言祝はそのむこうに身を乗りだした。

ほんとうなのか、気のせいなのか、すでにきなくささがただよってきている気がした。

「……うまくいった。おまえさんの言っていた松原だ。すでに火の手はあがっているが、まだ燃《も》えひろがるまでに時間はある」

沙々《ささ》はうなずき、藁を巻《ま》きなおした剣を抱《だ》きしめた。

裂け目をまたぎこしたとたん、炎《ほのお》にあぶられて凶暴《きょうぼう》になった風が吹《ふ》きつけた。髪《かみ》をもみくちゃにされながら、沙々は言祝とともにめあての棟《むね》へと走った。

沙々たちは人目をさけて駆《か》けていたが、広い道のほうからは、悲鳴やさけび声が聞こえてきた。乱《みだ》れた足音、どなり声、なんどもよばれるだれかの名前。

しかし、それらはしだいに遠ざかり、やがて、聞こえるのは炎と風のうなりばかりとなった。

くぐり戸の外で、沙々は待つことになっていた。あまりに近づきすぎて、熱のせいで剣がとけてしまっては、もとも子もない。

どのように廊《ろう》をたどるか、どの階《きざはし》をおりてのぼるか、どこの角を曲がるのか……。きのうまでに、なんどもくりかえした。氷の剣は、こんなにも大きさとかたちを留めている。なにも心配はないはずだ。

それでもしぶとくいすわる沙々の不安を、言祝は笑いとばした。

「おれがいったい、どれだけ過去《かこ》わたりをしてきたと思っているんだ。火事のさなかにあがりこむのははじめてでも、矢の雨がふる戦場に行ったことだってあるんだぜ？　沙々《ささ》こそ、飛んできた火《ひ》の粉《こ》で髪《かみ》を燃《も》やすなよ」

背負《せお》った包《つつ》み布《ぬの》のぐあいをたしかめ、沙々の肩《かた》をたたいた。

心配され過《す》ぎるのは、信用されていない気がして、沙々自身がいやがっていたことだ。それなのに、いくら心配をしてもしたりないのだった。

言祝《ことほき》は行ってしまった。

もちろん、行かなければならないことはわかっている。わかっているのに、帰ってくるまでのあいだが――氷がとけきらないうちでしかないのに――とほうもなく長く思いやられるのだ。

落ちつかなく、沙々はなんども藁《わら》の包みをたしかめた。あまりさわっては、とけやすくなってしまうかもしれない――そう思ってこらえ、じりじりと待った。

あれほどの自信を見せた言祝なのだから、沙々が指笛で知らせるまでもなくもどってくる気がしていた。実際《じっさい》は、もう指笛を吹《ふ》くべきころあいだったが、火とけむりのむこうに言祝らしい人影《ひとかげ》は見えてこない。

沙々は思いきり指笛を鳴らした。たかの声が高く遠く聞こえるように、中にいる言祝にも聞こえているはずだ。それでも、言祝に聞こえているという印はなにもないし、無事でいるかもわからない。返事をしようにも、言祝は指笛を鳴らせないのだ。

沙々がいくら教えても、すうすう息の音がもれるばかりで上達しないので、言祝は自分にはむいていないとあきらめてしまった。だが、こんなにも不安を持て余《あま》して待たなければいけないのなら、なんとしてでも指笛を鳴らせるように、もっとがんばって教えればよかった。

一か所、二か所、火がおどりあがった。まだ柱や塀《へい》がくずれ落ちるほどではないが、燃えひろがっているのだとわかる。とくべつにつくられた剣《つるぎ》も、だんだんとたよりない大きさになってきたというのに、言祝が黒くすすけた顔でもどってきはしない。

――なにか、あったの？

胸《むな》さわぎがした。

まだ、半分の半分になるまでには少し時があったが、沙々はたてつづけの指笛を吹いた。祈《いの》るような思いで、返事が聞こえないか耳をすまし、安心できる印が見えないか探《さが》した。

ゆっくり、十を数えてみた。胸さわぎはおさまらない。

――よくないことが起きたのかもしれない。

けむりをすってしまっただとか、足をくじいただとか。

――だったら、待っていられない。あたしが助けないと！

自分が火の中に飛びこもうというのに、氷の剣《つるぎ》を持っていくわけにはいかない。近くにあった木の根もとを掘《ほ》り、くるんだ藁《わら》ごと横たえて、土をかぶせた。

――すぐ行くから。

もすそをからげ、姿勢《しせい》を低くして、沙々《ささ》は火の玉の勢《いきお》いでくぐり戸につっこんだ。


口と鼻とを手巾《しゅきん》でおおった言祝《ことほき》は、すばやくあたりを見まわした。

目的の部屋に近づいている。厨子《ずし》に火がおよばないうちに、わずかでもはやくたどりつかなくてはいけない。

まようことはなかった。沙々に感謝《かんしゃ》しつつ先を急ぐ。逃《に》げだそうとする数人とすれちがったが、だれも言祝をとがめはしなかったし、奥《おく》へ行ってはあぶないと声をかけられることもなかった。だれだって、それどころではないのだ。

かざり格子《こうし》がかげろうでぼやけ、ゆがんでいる。その角を曲がると、薄絹《うすぎぬ》が炎《ほのお》をあげながらひるがえっているのが見えた。

――あそこだ。

強まった風のために、火《ひ》の粉《こ》が飛んで燃《も》えうつったのだろう。まるで炎の翼《つばさ》のようにはためいている。

室内をうかがうと、人の動く気配はない。部屋の中へと踏《ふ》みこんだ。

めあての厨子は、すぐにわかった。美しいうるし絵が目を引き、金具の細工もこまやかだ。

しかし、感心しているひまはない。

歩みよったつまさきが、なにかをけとばした。目で追うとさかずきで、なぜこんなところにと思ったのはいっしゅんのこと――すぐに、その意味を知った。卓《たく》の下に、たおれた人の足が見えたのだ。

――邸《やしき》に火をつけ、さかずきで毒《どく》をあおった蘇《そ》我《がの》蝦夷《えみし》その人か。

言祝はせつなだけ目をふせて、厨子にむきなおった。

こまやかなうるし絵のかくし戸をはずす。このときのために玉虫《たまむし》に仕立ててもらった包《つつ》み布《ぬの》に、巻子本《かんすぼん》をすべてならべた。手ぎわよくくるんで、結び目にゆるみがないのをたしかめる。

かかえるとそれなりの重さだが、背負《せお》えばなんのさしつかえもなさそうだ。

戸口の薄絹は、すでになかばまで燃えおちていた。けむりで周囲《しゅうい》がかすむほどではなかったが、目が痛《いた》む程度《ていど》にはなってきている。

背中《せなか》の包みをゆすりあげ、部屋を出ようとして、厨子《ずし》をふりかえった。

言祝《ことほき》は、信心深いたちではない。身近なのは御仏《みほとけ》の教えではなく、星読みのわざ、そして遁甲《とんこう》のわざだ。それでも、火事のさなかに残していかなくてはならないものに、気持ちばかりではあったが手を合わせた。

のどにも痛《いた》みを感じはじめた。それでも、まだ氷の剣《つるぎ》は半分とけた程度《ていど》だろう。このまま道をもどれば、沙々《ささ》が待つくぐり戸の外へと出られる。

召使《めしつか》いたちが働いていた区画の細い通路をつっきろうとしたところで、沙々の指笛が聞こえた。

――聞きのがしたかと思ったが、今からあと半分もあるのか。余裕《よゆう》だな。

くぐり戸まで行かずに、庭先へ出て塀《へい》を乗りこえてやろうか……。いや、よけいなことをして、万が一のことがあってはならない。

「よし」

声に出して気を引きしめた、そのときだった。

「だれか……、だれかいるの？」

少女のものらしい声が聞こえた。

心《しん》の臓《ぞう》がはねた。目の前の物置らしい戸ががたがたと鳴っている。

「助けてください。ここを開けてください」

小さな錠《じょう》がかかっている。これから炎《ほのお》がせまってくるというのに、なぜだかとじこめられているのだ。

――開けてやることはかんたんだ。

それはけっして、過去《かこ》わたりではしてはならないことだった。

『過去のものごとは変えてはならぬ。どんなささいなことが天皇《てんのう》を、国をゆるがす大事につながるかわからぬゆえに』

兄分《あにぶん》たちと机《つくえ》をならべていたころから、なんどとなくそう聞かされてきた。

過去の世で少女を助けたと舎人親王《とねりしんのう》に知れたなら、それは、天皇へのうらぎりとみなされるだろう。言祝はすべてを失うことになる。

――だが、助けを求める少女を見殺《みごろ》しにしたと……、沙々が知ったら？

わかりきったことだ。けいべつのまなざしが目にうかぶようだった。

陰陽寮《おんみょうりょう》も星読みの地位も失わないかわりに、言祝は沙々からの信頼《しんらい》を失うのだ。

それだけではない。ここで少女を見捨《みす》てていくことは、沙々を見捨てていくような気がした。

目を合わせられなくなるにちがいなかった。

「開けてやる、待っていろ」

言祝《ことほき》は錠《じょう》をはずすなり、戸を開けはなった。やはりそこは物置で、沙々《ささ》と同じ年ごろの少女がべそをかいて座《すわ》りこんでいた。

「どうしてこんなところに？」

「逃《に》げようとしたのを見つかってしまって……それで、罰《ばつ》なのですって」

「火がつけられたのに、なにを言ってるんだ。逃げるのはあたりまえだろうが」

「ちがうんです。きのうの朝なんです――あたしが逃げようとしたのは。あぶないからとせっかく教えてもらったのに、もたもたして、上役につかまってしまって。そのまま丸一日、ずっと」

「まずはここを出るぞ。立てるか？」

言祝は手をさしのべた。

かかえるようにして立たせようとしたとき――ごく近くで、勢《いきお》いよく火がふきあがった。天《てん》井《じょう》の一部がふきとび、おびえた少女は物置の荷に体をぶつけてしまった。とたん、積みあがっていた荷がなだれ、ふたりに襲《おそ》いかかった。

少女は通路に転げでて、しりもちをついた。彼女《かのじょ》をかばった言祝は――荷の下じきだった。

少女ののどから声にならない悲鳴がもれ、きゃしゃな腕《うで》が荷をかきわけた。言祝もはうようにして、上体を起こすことができた。だが、そこまでだった。

「おまえさんは逃げろ。ここもすぐに燃《も》えてしまう」

少女は、いやいやと首をふった。言祝の足には木箱がいくつも重なりあい、ごうじょうなわなのように彼《かれ》をとらえている。

沙々の指笛がふたつ、たてつづけに聞こえた。時間がない。

「おれの連れが、くぐり戸を出たところにいる。おまえさんと同じくらいの子だ。その子にひとりで帰れと伝えてくれ」

少女は目になみだをためて、言祝の腕を引っぱった。力をふりしぼってくれているとわかるが、それでも、重たい木箱の重なりから彼を救《すく》いだせはしない。

「たのむから、行ってくれ。あいつに伝えてくれ」

沙々なら、言祝を待ちつづけるだろう。氷がほんとうに小さくなってしまうぎりぎりまで、ひとりで帰ろうなどと思わない。

そうして待つうちに、きっと言祝も沙々も、ふたりして帰らずの人になってしまう。裂《さ》け目《め》はとじてしまい、帰る手だてを失い、やがて時のはざまに消えるのだ。

――かけてもいい。

だから沙々《ささ》に、「ひとりでもどれ」と伝えなければ。この少女に伝えてもらわなければ……。

「言祝《ことほき》！」

言祝は目を見張《みは》った。きなくさい空気が目にしみた。

空耳であればいいと思ったが、聞きちがえようもなかった。なんどもよばわりながら、沙々の声が近づいてくる。

沙々は、言祝が思うよりもさらに手に負えなかった。

外で待ちつづけるどころか、みずから炎《ほのお》のさなかへと飛びこんできてしまったのだ。

十五、最後の星図

くぐり戸につっこんだ沙々《ささ》の顔を、熱い風が乱暴《らんぼう》になでた。

そでで口もとはおおったが、目を守るのはしなんのわざだった。けむりと熱でちくちくと痛《いた》み、うるむのに、なみだは流れる前にかわいていく。

あちらこちらで、なにかがきしむ音がした。それはばけものが身をよじって苦しむ声のようで、できることなら耳をふさいでしまいたかった。だが沙々は今、身を守ることだけで、文字どおり手いっぱいだ。

けむりのいやなにおいから逃《のが》れようと、鼻にますます強くそでを押《お》しつけた。ただでさえ小さな鼻がつぶれてしまうかもしれないが、そのときはそのときだ。

「言祝《ことほき》！」

よべば聞こえるはずだ。すぐ近くまでもどってきているにちがいない。言祝が、まだ厨子《ずし》の前でもたもたしているわけがない。

「言祝、どこ？　いるんでしょう！」

召使《めしつか》いのためのせまい通路を通りぬけようとした沙々《ささ》は、人影《ひとかげ》を見つけて、目を見開いた。だが、小柄《こがら》すぎる。言祝《ことほき》ではない――それでも、はっとしてふりかえった顔は、よく知っているものだった。

「弥乃売《みのめ》！」

――あんなに「逃《に》げて」って、言ったのに！

思わず問いただしそうになったが、物置の中を見てがくぜんとした。

「言祝！　どうして？」

たおれた言祝の足に、長櫃《ながびつ》や木箱が積みかさなっている。弥乃売は、下じきになった彼《かれ》を引っぱりだそうとしているらしかった。

「あたしを助けてくださったの。あたしのかわりに、こんなことになって……」

弥乃売はせきこみ、声はかすれきっている。言祝の目が沙々をとらえた。

「沙々、もう間に合わない。おまえさんだけでもどれ」

「ばかなこと言わないで」

言祝の腕《うで》をかつぐようにして、沙々も弥乃売とともに引っぱった。それでも、ふたりで力をこめたというのに、びくともしない。

言祝は背負《せお》っていた包《つつ》み布《ぬの》の結び目をほどき、沙々にさしだした。

「おまえさんには、たまわった務《つと》めがある。これを持ってもどれ。いやいやはなしだぜ。これは、主人からの命令だ」

屋根が火をふいた。けっして遠くはないところから、ぱちぱちと燃《も》えながらくずれる音が聞こえた。

「その子を連れて、今すぐに行け！」

言いあいをする余裕《よゆう》も、まよっているひまもないと、沙々にもわかっていた。

持ち重りのする包み布を背負い、ひときわ強く結ぶ。そして、弥乃売の手首をにぎりしめた。

「言祝を置いてけぼりなんかにしない。あたしがかならず――かならずむかえに来る。ちゃんと待っていなくちゃ、許《ゆる》さないから！」

言祝の苦笑いをふりきるようにして前をむき、沙々は弥乃売の手を引いてくぐり戸をめざした。

壁《かべ》がはがれる。燃えながらたおれてきた格子《こうし》から飛びのいた。

軒《のき》が燃えあがった。がらがらと音が聞こえた。外へ飛びだしふりかえると、屋根は赤く空へとゆらめいて、炎《ほのお》のかんむりをかぶったようだった。

氷の剣《つるぎ》を掘《ほ》りだしはしなかった。そうこうしているうちにとけきって、裂《さ》け目《め》がとじてしまうかもしれない。今一度ふりむく時間もおしんだ。

弥乃売《みのめ》の手をつかみなおし、沙々《ささ》は書物の重さに引っぱられないように前のめりになり、ひたすら走った。わき腹《ばら》がひどく痛《いた》かった。

やっと松原にたどりついたとき、裂け目はまだ、かろうじてそこにあった。

大きく息をつき、弥乃売の手をはなした。

「あの……、さっき、あたしを助けてくれた人――」

言いかけた弥乃売の言葉をさえぎる。

「ぜったいにあたしが助けに行く。だから弥乃売は心配しないで。こんどこそ、ちゃんと逃《に》げのびて」

それだけを言うのでやっとだった。

はしから消えかけた裂け目に手をかけ、自分の体を押《お》しこんだ。氷そのもののように冷たい床《ゆか》に、体を投げだすことになった。

したたか打ったひざの痛《いた》みにうめきながら身を起こしたとき、裂け目がふっつりと消え、香《こう》炉《ろ》のけむりもあとかたもなくなった。

沙々《ささ》の手もとにあるのは、十余巻《じゅうよかん》の書物だけだ。

それらをたくした言祝《ことほき》は今、過去《かこ》の時の中にとりのこされている。

——落ちつけ……。落ちついて考えるの、沙々。

もう一度、過去わたりをしなければいけない。

そして、物置の重たげな荷物にとらわれてしまっている言祝を助けなくてはならない。

沙々が力まかせに言祝を引っぱったところで、どうにもならないのは身にしみてわかった。

だったら、どうすればいい？

「……そうだ！」

雇車《こしゃ》に荷を積むときのことを思いだした。

なかなか持ちあがらない荷をうかせるとき、がんじょうな長い棒《ぼう》を地面と荷のすきまにさしいれて、石をかませ、棒に思いきり力をかける。するとふしぎと、どんなふうにかかえ、ふんばっても持ちあがらなかった重い荷が、やすやすとうくのだ。弓足《ゆみたり》に教えてもらったのだった。

そういった棒があれば、積みかさなった荷の下から、きっと言祝を助けだせる。

——氷室《ひむろ》のかんぬき！

そういえば、氷室のとびらにわたされたかんぬきは、沙々の身《み》の丈《たけ》ほどもある長い棒だった。

氷室にはまだ、つくりおかれた氷の剣《つるぎ》がひとふり残っている。かたどおりの大きさでしかないが、しかたがない。火事の中でも、くぐり戸に近い物置まで行って、帰ってくるだけなのだから、だいじょうぶのはずだ。

背負《せお》っていた書物をおろした沙々は、息せききって暗闇《くらやみ》の石段《いしだん》をあがり、木ぶたをはねのけ、井戸から新たな水をくんできた。

そしてふところには、昨晩《さくばん》、言祝に手本を借りてかき写した星図があった。

ひとりで一からかけるかといえば、自信のない沙々だった。どこかをまちがえ、見当ちがいのところへ過去わたりしてしまうかもしれない。だからこの一枚《いちまい》が、言祝を救《すく》える最後の星図だった。

――これこっきりしかない。

山の霊水《れいすい》でもなく、とくべつの剣でもなく、言祝がかいた星図でもないが、皇極天皇《こうぎょくてんのう》四年六月の、火がはなたれた蘇我《そが》の邸《やしき》に過去わたりができるだけの条件《じょうけん》はそろった。

――待っていて、言祝。

一閃《いっせん》。

裂《さ》け目《め》は開いた。

かんぬきの棒《ぼう》を手に、氷の剣《つるぎ》をふところに入れ、勢《いきお》いこんで裂け目を乗りこえようとして――

沙《さ》々《さ》は、まっさかさまに落ちた。はでに水しぶきがあがる。

さいわいおぼれることもなく、立ちあがるとひざほどの深さだった。

裂け目は松原の根もとではなく、池の真上に――沙々の胸《むね》あたりの高さに開いてしまったのだ。

――星図の正確《せいかく》さのちがい……?

ずぶぬれになった沙々は、氷の剣がとけてはいけないと、急いで池のはたにあがった。

この二年以上のあいだ、言祝《ことほき》から星図について学んできた。昨晩《さくばん》はことさら、息をつめるようにして、ていねいにかいたつもりだった。それでも星宿《せいしゅく》をえがいたときの筆のわずかなくせやはねが、こうしてずれを生んでしまったのだろうか。

もしや日時までずれてしまっているのではと、沙々は祈《いの》るように建物のほうを見た。

すると、だれかがこちらへ駆《か》けてくるのに気がついた。あわててしげみに身をかくす。

あやうく声をあげるところだった。松原に飛びこんできたのは、すすとほこりにまみれた、沙々と弥乃売《みのめ》だったのだ。

その日にはちがいない。だがこれでは、すでに邸《やしき》に炎《ほのお》がまわり、屋根が火をふいているころあいだ。

——時間がない！

沙々はしげみに氷の剣をかくすと、音を立てないようにはいだし、しずくをぽたぽたまきちらしながら駆《か》けた。

だれもが逃《に》げだしたあとで、人目を気にする必要もない。棒をかつぎ、もすそをひざ上までからげ、大きく足を動かして走りつづけた。

言祝は、終わりが近づきつつあるのを感じていた。

廊《ろう》の壁《かべ》が燃《も》えている。炎が舌《した》なめずりをしながら、いつこちらへ飛びかかろうかと機をうかがっているのがわかる。

沙々はもう、氷室《ひむろ》に帰っただろうか。言祝が助けた少女のことを知っているようだった。こちらになんども過去《かこ》わたりをしたことで、顔見知りになったのだろうか。

——沙々が知った子ならなおさら……、ほんとうに助けてよかった。

この日、この時——この広大な邸には、かつて命《めい》をおびて過去わたりをし、もどれずに消えていった兄分《あにぶん》たちのたましいが、さまよっているのかもしれなかった。仲間うちではいちばん年若《わか》かった自分にも、ついに、そうなる順番がめぐってきたのだ。

――お待ちかねの史書《ししょ》を沙々《ささ》が献上《けんじょう》したなら、舎人《とねり》さまも、こんどばかりは沙々を評価《ひょうか》してくださるだろう。

沙々には、よい暮《く》らしが約束されるだろう。玉虫《たまむし》といっしょなら、多少の苦労も苦労と思わず乗りこえられるにちがいない。

『言祝《ことほぎ》を置いてけぼりなんかにしない。あたしがかならず――かならずむかえに来る。ちゃんと待っていなくちゃ、許《ゆる》さないから！』

思いだされて、ふっと笑《え》みがもれた。沙々がそう言ってくれただけで、救《すく》われた気がした。

何年も過去《かこ》わたりをしてきて、だれひとりとして、失敗した仲間をむかえにいこうとはしなかった。仲間の生き死によりも、務《つと》めのほうが重いと信じていた。

しかし今、もしもこうして動けなくなったのが沙々のほうだったなら――言祝は、なんとしてでも沙々を助けだそうとしただろう。だからこそ、同じ思いをもってくれた沙々の言葉がうれしかった。

――おれが、このときこの場所のためにかいた星図は一枚《いちまい》きりだ。沙々のがんばりを信じないわけじゃないが……、おれと同じだけの精度《せいど》の星図は、あいつひとりじゃかけないだろう。占星台《せんせいだい》のだれかに助けを求めれば、正確《せいかく》な星図は手に入るかもしれない。けれども、そのころにはもう、言祝は息絶《いきた》えているか、もとよりこの時代の人間ではないために消えているか、どちらかだ。

床《ゆか》にほおをつけたまま、炎《ほのお》をながめた。いつのまにか、物置の壁《かべ》もぱちぱちと燃《も》えはじめている。あまりの熱に肌《はだ》がひりついた。たき火であぶられる魚になった気分だ。できることなら、髪《かみ》や衣服に燃えうつり、焼ける苦しみを味わう前に、氷のようにとけて消えてしまいたかった。

――どうか、沙々がもどってきませんように。

こんなおそろしい場所に来る必要はない。彼女《かのじょ》が生きるべき時代で、しあわせに生きてくれますように。

目をとじた。頭がぼんやりし、気が遠くなる。痛《いた》みも遠のいたようだ。足をつぶしにかかっていた木箱が消えたような気さえする。

「……き、……ほき！」

ほとんど悲鳴のような声で名をよばれた。

「言祝！」

残念ながら、空耳ではなかった。祈《いの》りは聞きとどけられなかったらしい。

燃《も》えたつ火明かりが沙々《ささ》を照らしだしている。

炎《ほのお》のさなかへ、もどってきてしまった。

「動ける？　せえので、また荷を持ちあげるから。そうしたら下からはいだして！」

せえの！

沙々があまりに必死の形相《ぎょうそう》だったので、言われるままに両腕《りょううで》を使ってはいだした——そして、はいだせたことに驚《おどろ》いた。

大蛇《おろち》のあぎとのようにがっちりと言祝《ことほき》の右足にかみつき、はなそうとしなかった荷は、沙々がさしこんだ棒《ぼう》でささえられ、床《ゆか》とのあいだにすきまをつくっていた。

「行こう！」

それから、外へ出るまでのことはよく覚えていない。

沙々が持ってきた棒のようなものを杖《つえ》がわりに、また沙々に肩《かた》も借りながら、思うように歩くこともかなわないながら——それでも生きているのだから、脱出《だっしゅつ》できたのだろう。

めりめりとおそろしい音を立てて、邸《やしき》がくずれていく。自分の体があの邸の中にないことが、今となってはふしぎだった。

「どうやって、過去《かこ》わたりできたんだ？」

声はがらがらとひびわれていたが、なんとか聞きとれはしたらしい。

沙々は言祝の腕を大荷物のようにかつぎなおして、

「きのうの晩《ばん》、記念に写させて欲《ほ》しいって、言祝から星図を借りたでしょう？　その写した星図を使ったの。だけどやっぱりあたしのかきかたが甘《あま》かったみたいで、池の真上に出ちゃったり、時間がずれていたり、思うようにはいかなかった。でも……、けっきょくこうして助けられたんだから、終わりよければすべてよしだよ」

ふたりして、たおれこむように池に入った。水の冷たさに、言祝の頭はようやくはっきりした。

体を起こすと、宙《ちゅう》に裂《さ》け目《め》があった。まるで空がほほえんでいるかのように見える。

――終わりよければ……、か。

まさか、よい終わりがおとずれてくれるとは、思ってもみなかった。

松原のむこうには、今や蘇我《そが》の邸ではなく、炎がわがもの顔でのびあがっている。ひとつの時代が燃えて消えていく。

それでも、時は先へとつづくのだ。言祝と沙々が生きるべき時へ、その先へと。

「さあ、帰ろう」

こちらへとさしのべられた手に、言祝《ことほき》は火ぶくれだらけの自分の手を重ねた。
ほほえんだ沙々《ささ》の姿《すがた》は、水と光をまとってまばゆく、言祝は思わず目を細めた。

十六、日の書と星の人

沙々《ささ》も言祝《ことほき》も、宙《ちゅう》の裂《さ》け目《め》からぶかっこうに氷室《ひむろ》へと転がりこんだ。

ふたりでひとつの生きもののように息を合わせ、ほとんどはうようにして、なんとか石段《いしだん》をのぼりきる。木ぶたをはねのけ、外の光を目にすると、ほんとうに死者の国から帰ってきた心地がした。

肩口《かたぐち》で汗《あせ》をぬぐった沙々は、大きく息をついて、言祝の顔をのぞきこんだ。

「言祝、だいじょうぶ？」

気がせくあまり目に入っていなかったが、あらためて見てみると、言祝の髪《かみ》はこげ、ほお、腕《うで》、そこかしこに火ぶくれができている。右足のひざから下が、おかしなぐあいになっている。ひたいにも、首筋《くびすじ》にも脂汗《あぶらあせ》がたらたらと流れ、顔は赤と青白のまだらだった。

「言祝……？」

うすく目は開いているが、返事はない。炎《ほのお》とけむりに痛《いた》めつけられた体には、氷室から地上までの道のりが、あまりに長かったのかもしれない。ふるえる手で沙々がゆさぶると、弱よわしくうめいた。

「だめ！　帰ってきたんだから、しっかりして！」

言祝《ことほき》を地面に横たえるなり、玉虫《たまむし》をよびに走った。

――きっとだいじょうぶ。あたしのひどい熱だって、なおしたんだから。玉虫なら、助けてくれる！

玉虫は、なんと、仲丸《なかまる》の応対《おうたい》をしているところだった。こんなときに仲丸は、沙《さ》々《さ》をたずねてきていたのだ。

「玉虫、言祝を助けて！」

せっぱつまった声だけで、玉虫には伝わったようだ。ふだんの玉虫では考えられないことだが、お客さまである仲丸をそのままに、血相《けっそう》を変えて身をひるがえした。

沙々もすぐさまつづこうとしたのに、仲丸に腕《うで》をつかまれてしまった。

「舎人《とねり》さまからうかがったぞ。わたしのもとへ来るよりも、星読みに仕えつづけたいだなんて言ったそうじゃないか。いったいどういうつもりだ？　せっかくわたしが――」

「今はそれどころじゃないんです！　言祝がおおけがをしているの！」

仲丸がひるみ、手の力がゆるんだすきに、沙々は駆《か》けだした。

玉虫は、言祝のかたわらにひざをついていた。追いついた沙々に気がつくと、玉虫はひどくきびしい顔つきでこちらを見た。

「沙々……、これは、わたくしひとりの手には余《あま》るかもしれません」

「――えっ？」

「もちろんできうるかぎり力をつくします。ですが、これほどともなると、わたくしとここにある薬だけでは、どうにかなるかどうか」

どうにもならないだなんて、そんなこと、あってはならないことだ。

医術《いじゅつ》、薬種《やくしゅ》をつかさどる役所である典薬寮《てんやくりょう》にお願いをしても、まともに話を聞いてもらえるとはかぎらない。……もし、間に合わなかったら？

沙々の意識《いしき》は遠のきかけた。だが、玉虫がそでをからげて言祝にふれようとしたとき、

「そこをどくんだ。ぼんやりするな！」

立ちつくす沙々を押《お》しのけて、仲丸が言祝のそばに立った。しかも、車の引き手のような、がっしりとした体つきの従者《じゅうしゃ》たちを連れている。

――言祝に、なにをするの？

守らなくてはと思うのに、体が動かない。

ぼうぜんと見返すことしかできない沙々《ささ》に、仲丸《なかまる》は言いはなった。

「けがや病のとき、だれに助けを求めればいいか、わかるかって聞いたのは沙々だぞ？　だれにってそんなもの、医博士《いはかせ》と薬師《くすし》に決まっている。——ああ、それなりの位でなければ、典薬《てんやく》寮《りょう》が相手にしてくれないと言いたいのだろう？　だからわたしは、おまえみたいな下っぱでも、助けを求めたら助けをあたえられる、新しいしくみをつくろうと考えたわけだ」

「だって……そんなこと」

「どうせできない、だって？」

仲丸は、沙々が言ったことをずっと根にもっていたらしい。

「なにもせずにあきらめるようなやつらとは、わたしはできがちがうんだ。典薬寮や寺院をまわって、人脈《じんみゃく》だって築《きず》いてきた。これは、しくみを動かす手はじめだ。ありがたく思うがいい！」

従者《じゅうしゃ》たちは手ぎわよく言祝《ことほき》を持ちあげ、どこかへと運んでいく。仲丸は、ぼうぜんとしている沙々と玉虫《たまむし》に、あごをしゃくってみせた。

「ついてこい。唐《とう》で最高の医術《いじゅつ》を学んできた、医博士のところへ連れていってやる」

信じられないような話だが、仲丸の言葉にうそはなかった。

医博士と、手伝いを買ってでた玉虫が力をつくし、貴重《きちょう》な薬も使わせてもらえたおかげで、言祝は一命《いちめい》をとりとめたのだ。

言祝が目を覚ましたとき、湿布《しっぷ》まみれとなった彼《かれ》の手をにぎり、沙々はおえつをこらえた。

「ちゃんと、帰ってきたんだよ」

くちびるをかみしめすぎて、

「くしゃくしゃの顔になっているぞ」

がらがらにひからびた声で、言祝に笑われた。とてもやさしい笑いかただった。

いっぽう、命の恩人《おんじん》として名乗りをあげたがった仲丸だが、玉虫によって外へと連れだされていた。

「そういった機会は、これからいくらでもございます。わたくしは目覚めたことを医博士に報《ほう》告《こく》にまいりますから、今しばらく、こちらでお待ちいただけますこと？　それとも、おひとりではおさびしいでしょうか」

「それではまるで、わたしが小さな子どもみたいじゃないか！」

「ふふっ、失礼を申しました」

口もとを引きむすび、仲丸は玉虫の背中《せなか》を見送った。

はっきり言えば、おもしろくなかった。仲丸《なかまる》には、沙々《ささ》からの感謝《かんしゃ》と称賛《しょうさん》がおおいにふりそそぐはずだった。

　とはいえ、彼女《かのじょ》のほっとした表情《ひょうじょう》を思いだせば、自分がしたことは正しかったのだと断言《だんげん》できる。同時に、問題が山積みなのも事実だった。

　沙々の手前、かっこうのいいことを言ったものの、じつは、祖父《そふ》や父の名前を出して強く通したのだ。位階《いかい》もさずかっていない自分の力だけでは、ものごとは思うように動かせなかった。

「仲丸」

　花びらがふれるようなやわらかな声に、はっと顔をあげた。

「安宿《あすかべ》さま」

　仲丸は驚《おどろ》いた。安宿は彼《かれ》と年の近いおばだが、なんといっても皇太子妃《こうたいしひ》だ。ふらりとやって来てはちあわせるとは、思ってもみなかった。

「どうしてこんなところに？　安宿さまは、もっとご自身をたいせつにしなくては」

「心配をかけてしまってごめんなさい。でもこれは、きっと御仏《みほとけ》のおみちびきだわ。わたくし、話を聞いたの。あなたが運びこんだ人、ひどいやけどということだけれど……、助かったのでしょう？　ほんとうによかった」

仲丸はうつむいた。もちろん後悔《こうかい》はしていないが、仲丸のかってが祖父の怒《いか》りにふれれば、せっかく築《きず》いたものが、こなごなにくだかれてしまうかもしれない。

「地方貴《き》族《ぞく》ですらないただ人《びと》に、ひとり決めで医博士《いはかせ》と高価《こうか》な薬を使ったこと――おとがめは、甘《あま》んじて受けるつもりです」

「いいえ、すばらしいわ。あなたのおこないは、御仏の教えにかなうことですもの」

安宿のかがやくばかりのまなざしが、仲丸を見つめている。

「仲丸におしかりがいかないように、わたくしからお父さまによくよくお願いをしておきます。だって……、このわたくしも、皇族や貴族だけでなく、まずしくても、あらゆる人びとが薬や治療《ちりょう》を受けられるようにしたいと考えているのですもの」

安宿は後ろにひかえていた女性《じょせい》に、にっこりした。

「ね？　真桑《まくわ》」

仲丸はまばたきした。安宿の侍女《じじょ》だと思いこんでいたが、よく見れば、兄がたいせつにしている真桑なのだった。

「どうして真桑が……？」

「真桑は、藤原南家《ふじわらなんけ》に来る前は、日々暮《く》らすことさえ苦しかったのですってね。だから民《たみ》の暮らしについていろいろ聞かせてほしくて、借りているの。わたくしの考えを話したら、とてもよろこんでくれたわ」

真桑《まくわ》はうなずき、言祝《ことほき》と沙々《ささ》がいる部屋のほうを見つめ、目を細めた。

「いつもおなかをすかせていて、あざだらけだった妹のような子たちが救《すく》われるのでしたら……、ほんとうに、ほんとうにありがたいことです。よろこんで、いくらでもお手伝いさせていただきます」

「ねえ仲丸《なかまる》、あなたの力がぜひとも必要だわ。わたくしの助けに、なってくださる？」

仲丸はこみあげてくるものをこらえ、力強くうなずいた。

養老《ようろう》四年（七二〇年）五月——ついに、舎人親王《とねりしんのう》のもとで編纂《へんさん》されていた史書《ししょ》『日本書紀《にほんしょき》』全三十巻《ぜんさんじっかん》の完成が、天皇《てんのう》に奏上《そうじょう》された。

炎《ほのお》に包まれた蘇我《そが》の邸《やしき》から、『天皇記《てんのうき》』と『国記《こくき》』を持ちかえって二年。沙々は十六歳《さい》になっていた。

「とうとう、完成しなさったのですね」

その一報《いっぽう》を、沙々は仲丸から聞き知った。

家柄《いえがら》と顔立ちがよいだけでもたいがいだというのに、大学寮《だいがくりょう》のだれより聡明《そうめい》で、たけのこの勢《いきお》いで背《せ》がのび、しなやかな手足をもつとなれば——藤原《ふじわらの》仲丸が、女官《じょかん》たちのうわさにのぼらない日はない。その仲丸がしょっちゅうたずねてくるものだから、沙々までもがうわさにのぼってしまうしまつだった。

あることないこと、あちらこちらでささやかれていると思うと落ちつかない。まさか、水たまりにつき落とされたためのくされ縁《えん》とは、だれも思いもしないだろう。

だからこそ、「身のほど知らずが仲丸さまに言いよっている」だなんて、見当ちがいもはなはだしい話がまかり通っているのだ。

うっかりつきたくなるため息を、すんでのところで飲みこんだ。

「おいそがしい中お運びいただきまして、おそれいります。お知らせいただき、ありがとうございました」

「ま、待て！」

礼をして立ちさろうとしたのに、沙々のそでがつかまれてしまった。

「まだ、急ぎのご用があるのですか？　これから、主人の手伝いに行くところなのですが」

「こっ、このあいだの返事は、まだ、聞かせられないというのかっ？」

ふりかえると、仲丸《なかまる》の顔は、日にあたりすぎたかのように赤い。

「……もう、お答えいたしましたでしょう？　わたしには、ここでの務《つと》めがあるのです。仲丸さまのお邸《やしき》にまいることはできません」

「おまえはほんとうに、足を悪くした主人のめんどうを見て過《す》ごすだけの毎日に満足しているのか？　わたしのところにはおもしろい書物がいくらでもあるし、甘《あま》い唐菓子《とうがし》だって食べられる。それに、沙々《ささ》は天文を学びたいのだろう？　天文博士《はかせ》をとくべつによんでやることだって――」

「ごめんなさい、仲丸さま。主人によばれていますので」

――しつこいったら！

じだんだをふんでしまわないうちに、沙々は急ぎ足で中へと引っこんだ。

弥乃売《みのめ》をかばって荷の下じきになったために、言祝《ことほき》が足を悪くしたのは事実だ。右の足がねじれてしまった。命は助かったのだから、京《みやこ》でいちばんいそがしい医博士に、あとまでずっと見てもらうわけにもいかなかった。

それでも言祝は、この二年のあいだ、日々痛《いた》みにたえながらつらい訓練をしていた。そのかいあって、杖《つえ》があればひとりで歩きまわれるようにまでなったのだ。

言祝は、沙々がつききりでなければなにもできないのではない。沙々がしかたなしに命令に従《したが》っているわけでは、けっしてなかった。

「きょうもまた、長かったな」

言祝が、思わずといったようすで吹《ふ》きだした。

「人の顔を見て笑わないでよ」

「沙々、すさまじいしかめっつらになっているぞ」

「だって、仲丸ったら、いっつも話がだらだらつづくの。今も、前に断《ことわ》った話をむしかえされちゃったんだから！」

「で、また断ったんだろう？」

「もちろん。これから飛鳥《あすか》に行く楽しみがあるのに、なにが悲しくて仲丸のお世話なんか引きうけるっていうの」

「険《けん》があるなあ」

「もちろん、言祝を助けてくれたのはとても感謝《かんしゃ》してる。仲丸がすごく優秀《ゆうしゅう》で、あっというまに出世するんだろうっていうこともわかる。きっと史書《ししょ》に名前がのるのって、仲丸みたいな人なんだろうなって思うよ。でも、それとこれは話がべつ。あたしは仲丸に仕えたいんじゃなくて、言祝《ことほき》と玉虫《たまむし》といっしょにいたいんだから」

言祝の前には、着がえの衣《ころも》と包《つつ》み布《ぬの》。そして、気に入りの書物がならんでいる。これからふたりで、旅の荷づくりをするのだ。

きっかけは、半月ほど前のことだった。

『おひまをいただきとうございます』

玉虫がそう言いだしたときには、この世の悲しみという悲しみが群れをなしておそってきたかのように思われたものだ。よほど、沙々《ささ》がうちのめされた顔をしていたのだろう——玉虫はあわてたように言いなおした。

『やめさせていただこうというんじゃありませんわ。おひまというのは少し、ほんの少しばかりのあいだだけで』

『行きたいところでもあるのか？』

たずねた言祝に、玉虫はうなずいた。

『わたくしの師《し》が、飛鳥《あすか》の地に庵《いおり》を結んでおりますの』

『玉虫の……、師？　女官《じょかん》の仕事のか？』

『いいえ、薬師《くすし》のわざのほうですわ。熱さましに血止め、痛《いた》み止《ど》め——言祝さまのおっしゃる草の汁《しる》にございますよ』

玉虫はにっこりほほえんだ。玉虫の草の汁に、沙々はなんども救《すく》われたのだ。

『言祝さまのおみ足、ずいぶんよくなりあそばしましたけれど、まだ雨の日には痛みますでしょう？　雪の日などもっとたいへんだと、玉虫は存《ぞん》じております。……ですから、それがもういくらか、なんとかならないかと思いまして。師に相談にまいろうと思ったしだいなのです』

『玉虫はお見通し、というわけだ』

言祝は笑って、

『おまえさんがそうも慕《した》うお師《し》匠《しょう》とは、どういったお方だ？』

『ずいぶんなお年なのですけれど――たしか、もう八十にはなるはず――ぴんしゃんとしておりますの。便りの文字も、わたくしよりよほどしっかりしていて。土地の者たちからは、薬《やく》師《し》如来《にょらい》さまが人に身を変えていらしてくださったのだと言われるほどなのですよ』

『薬師如来か……。さすが、飛鳥らしいな』

飛鳥といえば、蘇《そ》我《が》の邸《やしき》が思いだされた。お宮のあった土地なのだから、高名な薬師が住まっていてもおかしくはない。

『そういうわけなら、玉虫だけでなく、おれも行って見てもらうのがいいだろう。沙々、どうだ？

しばらく平城京《ならのみやこ》をはなれても、里恋《さとこい》しくなったりはしないか？』

あたりまえのように、自分も連れていってもらえることがうれしかった。

史書編纂《ししょへんさん》の作業が終わっても、言祝《ことほき》は占星台《せんせいだい》で星読みの仕事をつづけていた。足の痛《いた》みがとれれば、占星台の階《きざはし》をのぼるときの苦労もへるだろう。

舎人親王《とねりしんのう》は、長らく求めていた書物を献上《けんじょう》したからといって、言祝と沙々《ささ》をことさらにおほめくださることはなかった。ふたりともあたりまえに務《つと》めをはたしただけ、というわけだ。

沙々にしてみれば、それでちっともかまわなかった。歴史《れきし》の一葉《いちよう》に名をきざみたくて、過去《かこ》わたりをしていたわけではない。暮《く》らしが守られさえすれば、じゅうぶんだった。

史書には書かれなくとも、のちの世まで伝えられなくとも、きょうよりあすと、ささやかに積みあがっていくものはあるのだ――沙々たちの毎日のように。

旅の許《ゆる》しを得《え》て、三人は出発した。

天候にもめぐまれ、言祝の足のぐあいにつきあいながらの、のんびりとした道中になった。

そうして到着《とうちゃく》した飛鳥《あすか》の庵《いおり》は、沙々が思っていたよりもりっぱなものだった。

遠目でも、いくつもの棟《むね》が見える。小さな子どもが走りまわり、あちこちから笑い声が聞こえる。

「びっくりしたでしょう?」

「はい。もっとうらさびしい感じかと……。あ、すみません」

「いいのですよ。庵というと、そう思いますものね」

玉虫《たまむし》はずいぶんうきうきとして見えた。

「子どもがたくさんいますし、にぎやかそう」

「わたくしも、ここで育ったのですよ」

「えっ!」

沙々も言祝も目を見張《みは》った。玉虫は得意《とくい》げで、

「お師匠《ししょう》は薬師《くすし》のわざをほどこすだけでなく、身よりのない子どものめんどうも見ておいでなのです。すごいでしょう? ……あら、うわさをすればなんとやら。あそこにいらっしゃるわ」

玉虫はめったになくはしゃいだふうで、そでを大きくふってみせた。

「お師匠! お師匠ーっ! ……だめですわね。さすがに、少し耳が遠くなっておしまいなのかしら。お師匠ーっ、玉虫がまいりましたよ! 弥乃売《みのめ》さまったら!」

聞きまちがいかと思ったのだ。

しかし、言祝と目が合った。言祝にもそう聞こえたと言うことだ。

すらりとした後ろ姿《すがた》、白髪《はくはつ》をきっちり結《ゆ》いあげたそのさまは、まるで白もくれんの一枝《ひとえだ》のようだった。

ふりかえった気品ある老女の中に、たしかに弥乃売《みのめ》のおもかげを見た。

彼女《かのじょ》はわずかに目を見開き、うっとりと沙々《ささ》を見つめ――もくれんが咲《さ》きこぼれるようにほほえんだ。

「まあ、まあ！　わたくしの思ったとおり、やっぱり沙々は龍宮《りゅうぐう》のお使いだったのね。あのときから、まるで変わっていないのですもの」

「弥乃売ったら、ひどい。あたしだって背《せ》がのびて、うんと大人になったんだから！」

笑顔《えがお》で言いかえしたつもりだったのに、最後は鼻声だった。

沙々を抱《だ》きしめた弥乃売は、きょとんとしている玉虫《たまむし》に笑いかけた。

「わたくしの、命の恩人《おんじん》なのですよ。こうしてお会いできたのは、かわいいお弟子《でし》のおかげですわね」

そして、言祝《ことほき》に深い礼をした。

「ずっと……、ずっと、あなたさまのことが気がかりだったのです。あなたさまに助けていただいた命ですから、ぜったいにそまつにはすまいと、年月を重ねてまいりました。玉虫から、

おみ足のことは便りで聞いております。わたくしの全霊《ぜんれい》をもって、ご恩返《おんがえ》しをさせてくださいまし」

沙々《ささ》は言祝《ことほぎ》の手をとった。そして、言祝がこらえているぶんまでなみだを流した。うれしなみだなのだから、いくらだって流せばいいのだ。

聖武天皇《しょうむてんのう》の皇后《こうごう》・安宿《あすかべ》――光明子《こうみょうし》がまずしい人びとのために薬をほどこす施薬院《せやくいん》を置いたと、のちに編《あ》まれた史書《ししょ》は語る。

そこには、弥乃売《みのめ》の知識《ちしき》と玉虫《たまむし》の力がおおいに役立ったこと、沙々と真桑《まくわ》が手伝ったことは書かれていない。だが、成人した仲丸《なかまる》は藤原仲麻呂《ふじわらのなかまろ》として聖武天皇と皇后に仕え、歴史《れきし》に名を残した。

史書とは日ざしのようなものだと、沙々は思う。たくさんの人を照らし、遠くを見はるかす助けとなるのだろう。

いっぽう、沙々たちは星だ。明るい日の光が照らす中ではかき消されてしまう、ちっぽけな星。

それでも、日の照らない夜は、星こそが明かりとなる。きっと――だれもが星なのだ。

日のようにあまねく照らす力はなくても、どこかでだれかのしるべになるかもしれない。かがやきになるかもしれない。

沙々は、自分の星図には、やはり言祝というしるべの星があってこそだと思うし、言祝は、沙々というかがやきがあってこそだと思うのだった。

あとがき

小学生のころに学級文庫で読んだ歴史《れきし》まんがが、奈良《なら》時代を好きになるきっかけでした。

歴史まんがや歴史書に登場するいわゆる「歴史に名を残した人」のほかにも、田畑を耕《たがや》した人、日用品をつくった人、毎日の食事を用意した人――たくさんの人びとが生きていました。たとえば、平城京《へいじょうきょう》の発掘調査《はっくつちょうさ》では下級役人の食べていたものや落書きなどが見つかっていて、「ふつうの人」の暮《く》らしをうかがい知れます。

史書編纂《ししょへんさん》という国家事業の前では、沙々《ささ》や言祝《ことほき》は、ちっぽけな存在《そんざい》でしかなかったでしょう。それでも、彼《かれ》らにも生活や人生があります。それは、今を生きるわたしたちにも言えることです。

ささやかなしあわせ、小さいけれど積みあげていく努力、とるにたりないと思える日々でも重ねていくこと――歴史書にはのらない、そんな多くの人びとの毎日があったからこそ、こうして先の世がつづいているのだと思います。ちっぽけかもしれない、けれどたしかに光る星のような、沙々と言祝の奮闘《ふんとう》を楽しんでいただけますように。

監修《かんしゅう》をしてくださった寺崎保広《てらさきやすひろ》先生、心からお礼を申し上げます。また、とびきり美しい装丁画《そうていが》・挿絵《さしえ》を手がけてくださった七原《ななはら》しえ様、この本にかかわってくださった皆様《みなさま》に、感謝《かんしゃ》の気持ちをささげます。ありがとうございました。

二〇二二年四月

牧野《まきの》礼《あや》

【おもな参考文献】

『六国史―日本書紀に始まる古代の「正史」』遠藤慶太 著（中央公論新社）

『平城京に暮らす　天平びとの泣き笑い』馬場基 著（吉川弘文館）

『日本史リブレット7　古代都市平城京の世界』舘野和己 著（山川出版社）

『古事記神話と日本書紀神話』岸根敏幸 著（晃洋書房）

『日本書紀の謎を解く　述作者は誰か』森博達 著（中央公論新社）

『日本書紀〈四〉』坂本太郎、井上光貞、家永三郎、大野晋 校注（岩波書店）

『日本書紀〈五〉』坂本太郎、井上光貞、家永三郎、大野晋 校注（岩波書店）

『飛鳥・奈良時代　日本の歴史【2】』吉田孝 著（岩波書店）

『新版　日本神話』上田正昭 著（角川学芸出版）

『日本服飾史　女性編』井筒雅風 著（光村推古書院）

『日本のハーブ事典　身近なハーブ活用術』村上志緒 編（東京堂出版）

『古代交通研究第13号』「日本古代における交通・輸送と車」加藤友康 著（古代交通研究会 編集・発行）

『平城京のごみ図鑑　最新研究でみえてくる奈良時代の暮らし』奈良文化財研究所 監修（河出書房新社）

解《かい》説《せつ》

寺崎《てらさき》 保広《やすひろ》

日本書紀《にほんしょき》ができるまで

国の成り立ちをまとめた歴史書《れきししょ》（国史）をつくろうという動きは、推古天皇《すいこてんのう》二八年（六二〇年）に始まりました。聖徳太子《しょうとくたいし》（厩戸《うまやどの》皇子《おうじ》）と蘇我《そがの》馬子《うまこ》が中心となって、まず国史の材料として『天《てん》皇記《のうき》』と『国記《こくき》』がつくられたのですが、皇極《こうぎょく》天皇四年（六四五年）、馬子の子である蝦夷《えみし》が自《じ》宅《たく》に火を放った時にそれらは焼失してしまいました。わずかに『国記』の一部が、船恵尺《ふねのえさか》という者によって火の中から取り出され、中大兄《なかのおおえの》皇子《おうじ》（のちの天智《てんじ》天皇）に献上《けんじょう》されました。――これが小説の一つのヒントになっているのでしょうか。

その後、天武《てんむ》天皇一〇年（六八一年）に、あらためて国史をつくることとなり、『帝紀《ていき》』と『上古《じょうこ》の諸事《しょじ》』をまとめましたが、国史としては完成しませんでした。これらの、材料となる四つの書は今に伝わっていませんが、『天皇記』と『帝紀』は天皇家の系図《けいず》のようなもの、『国記』と『上古の諸事』は神話や、さまざまな伝承《でんしょう》を集めたもの、と推測《すいそく》されています。

天武天皇ののちも材料の収集《しゅうしゅう》は続けられ、奈良《なら》時代になり和銅《わどう》七年（七一四年）ごろから、舎人親王《とねりしんのう》を責任者《せきにんしゃ》として国史の編集《へんしゅう》が本格化《ほんかくか》します。集まった材料に検討《けんとう》をくわえ、中国の歴史書を手本として体裁《ていさい》を整えて、ついに養老《ようろう》四年（七二〇年）五月に完成したのが『日本書紀《にほんしょき》』です。

つまり、『日本書紀』づくりは、一〇〇年間におよぶ長い間の課題であり、さまざまな困難《こんなん》をのりこえてできあがった一大事業だったのです。

六四五年という年

沙々《ささ》や言祝《ことほき》が「過去《かこ》わたり」をする六四五年は、大化《たいか》の改新《かいしん》が始まる年にあたります。それまで朝廷《ちょうてい》の中で絶大《ぜつだい》な権力《けんりょく》をにぎっていた有力豪族《ごうぞく》が蘇我氏《そがし》で、その蝦夷《えみし》・入鹿《いるか》の親子を打倒《だとう》して天皇《てんのう》中心の国をつくろうとしたのが、この年六月におこった「乙巳《いっし》の変《へん》」とよばれるクーデターです。その中心人物が中大兄皇子《なかのおおえのおうじ》と中臣鎌足《なかとみのかまたり》（のちの藤原《ふじわらの》鎌足）でした。彼《かれ》らは、朝廷で儀式《ぎしき》がおこなわれた時に蘇我入鹿を斬《き》りつけて殺害《さつがい》し、その後、中大兄の軍隊が飛鳥《あすか》の甘樫《あまかしの》丘《おか》にあった蘇我氏の屋敷《やしき》を取《と》り囲《かこ》むと、蝦夷は火を放って自害しました。

事件《じけん》のあと、日本で初めての元号を用いて「大化《たいか》元年」となり、天皇は孝徳《こうとく》天皇に代わり、皇太子《こうたいし》となった中大兄と鎌足が中心となって改革《かいかく》を進めていきました。その基本方針《きほんほうしん》が翌年《よくねん》正月に発表された「大化の改新の詔《みことのり》」で、その中に戸籍《こせき》・租庸調《そようちょう》・班田収授法《はんでんしゅうじゅのほう》といった重要なことが定められました。それがやがて、「大宝律令《たいほうりつりょう》」という国家の基本となる法律としてまとめられることになります（七〇一年）。
奈良《なら》・平安《へいあん》時代の約五〇〇年は、国史《こくし》と律令の二つを国の基礎《きそ》とする時代といえるのです。

氷室《ひむろ》のこと

本文では、「過去《かこ》わたり」をする場所として、都にあった氷室が登場します。氷室というのは、本来は氷を長く保管《ほかん》する場所のことで、冬のあいだに池に張《は》った厚《あつ》い氷を切り出し、大きな穴《あな》の底に何十段《だん》にも氷を重ねて置き、その上を茅《かや》などの草で厚くおおって溶《と》けないようにし、全体に屋根をかけた施設《しせつ》でした。

氷室の場所としては、都からあまり遠くない寒冷地が選ばれ、夏になるとそこから溶け残った氷を都に運び、貴族《きぞく》たちの冷房《れいぼう》や飲用などに使われました。奈良時代では、平城京《へいじょうきょう》の東の山中にあった都祁《つげの》氷室《ひむろ》（天理《てんり》市《し》福住町《ふくすみちょう》）が有名で、今でも氷室跡《あと》の穴が残っている所があります。当時の木簡《もっかん》に書かれたものによると、氷室は直径が六メートル、深さが三メートルという、とても大きくて深いものでした。

これはいわば生産地の氷室ですが、それとはべつに都にも氷室があったと見られます。つまり、生産地の氷室《ひむろ》から届《とど》けられた氷を消費《しょうひ》するまでの短期間、保管《ほかん》しておく施設《しせつ》です。具体的な場所や構造《こうぞう》などはわかりませんが、平城京《へいじょうきょう》にも何か所かの保管用氷室があったということは、なんらふしぎなことではありません。都の氷室の例としては、韓国《かんこく》の慶州《けいしゅう》という古都に「石氷《せきひょう》庫《こ》」という遺跡《いせき》があります。石の階段《かいだん》を下ってゆくと、りっぱな石組みの壁《かべ》をもつ奥行《おくゆ》きのある石室になっています。「過去《かこ》わたり」をするならば、こんな場所かなと想像《そうぞう》してしまいます。

陰陽寮《おんみょうりょう》と星の観測《かんそく》

言祝《ことほぎ》が所属《しょぞく》する陰陽寮とは、どういう役所でしょうか。この役所が担当《たんとう》する分野として、「陰陽」「暦《れき》」「天文」「漏刻《ろうこく》」の四つがありました。「陰陽」は吉凶《きっきょう》を占《うらな》い、「暦」は「こよみ」をつくること、「天文」は星の運行を観測します。「漏刻」とは「水時計」のことで、それで時間を計り、太鼓《たいこ》と鐘《かね》で時を告《つ》げる役目でした。それぞれの分野に博士《はかせ》がいて、その下に一〇人ほどの助手（学生）が配属されていました。

「陰陽」をのぞいた三つの分野は、とくに密接《みっせつ》に関連します。天体を観測し、時刻《じこく》を計り、こよみをつくるということは、「時」を正確《せいかく》に把握《はあく》するということであり、天皇《てんのう》こそがゆいいつ「時」をつかさどっていたことを象徴《しょうちょう》する大事な仕事だったのです。そのため、たとえば星の動きに異変《いへん》があった場合、それを観測した人はその情報《じょうほう》をほかに漏《も》らしてはいけない「マル秘《ひ》」事項《じこう》で、専門家《せんもんか》がその異変について検討《けんとう》した結果を天皇に直接報告《ほうこく》することになっていました。

こうしてみると、ちがう時代にタイムスリップするという本文にとって、もっともふさわしい役所が陰陽寮といえるでしょう。言祝の立場をあてはめてみるならば、年齢《ねんれい》からすると、天文博士の下で学んでいる「天文生」の中の一人といった立場に近いかな、と思います。

その他、歴史《れきし》上の人物

本文に登場した歴史上の人物について、簡単《かんたん》に説明しておきましょう。

舎人親王《とねりしんのう》（六七六～七三五年）……天武《てんむ》天皇には一〇人の男子がいましたが、彼《かれ》は序列《じょれつ》が三番目という血筋《ちすじ》のよさで、奈良《なら》時代には皇族《こうぞく》の中心人物として時の天皇を支《ささ》えました。『日本書《にほんしょ》紀《き》』づくりの責任者《せきにんしゃ》に任命《にんめい》されたのも、それだけ名誉《めいよ》ある地位だったことを示《しめ》します。

長屋王《ながやおう》（六七六～七二九年）……天武天皇の孫にあたり、皇族出身の役人として活躍《かつやく》し、七二〇年からは政府《せいふ》のトップに立ちましたが、七二九年に謀反《むほん》の疑《うたが》いがかけられ、自害してしまいました。長屋王の屋敷跡《やしきあと》が発掘《はっくつ》され、大量の木簡《もっかん》が発見されたことでも有名です。

光明皇后《こうみょうこうごう》（＝安宿《あすかべ》、七〇一～七六〇年）……藤原《ふじわらの》不比等《ふひと》の娘《むすめ》で、初めは安宿媛《あすかべひめ》・光明子《こうみょうし》とよばれました。七二四年に即位《そくい》した聖武天皇《しょうむてんのう》の皇后《こうごう》として、武智麻呂《むちまろ》ら四人の兄たちとともに夫を支《ささ》えましたが、七三七年、天然痘《てんねんとう》で兄たちが全員亡《な》くなり、仲麻呂《なかまろ》に期待をかけるようになります。

藤原《ふじわらの》仲麻呂（＝仲丸《なかまる》、七〇六～七六四年）……藤原武智麻呂の次男で、藤原氏のホープと期待されて成長しました。七五〇年ごろから権力《けんりょく》をにぎり、次つぎと改革《かいかく》をおこなっていきますが、聖武天皇と光明《こうみょう》皇后が亡くなったあとに孝謙《こうけん》天皇と対立し、戦いに敗れて殺害《さつがい》されました。

＊＊＊＊

本書は、飛鳥《あすか》・奈良《なら》時代を舞台《ぶたい》にしたファンタジーですから、「そんなことはあり得《え》ない」など、目くじらを立ててもしょうがありません。ただし、歴史的《れきしてき》なこともきちんと押《お》さえて書かれている小説なので、必要な事柄《ことがら》にかぎって補足《ほそく》説明をくわえてみました。

まあ、右に書いたことはあまり気にすることなく、本文をじゅうぶんにお楽しみください。

◉系図《けいず》

太字：登場人物
［網掛け］：ストーリーや解説《かいせつ》に名前がある人物

【蘇我氏《そがし》】

- 稲目《いなめ》
  - 馬子《うまこ》
    - 蝦夷《えみし》
      - 入鹿《いるか》

【藤原氏《ふじわらし》】

- 鎌足《かまたり》
  - 不比等《ふひと》
    - 武智麻呂《むちまろ》
      - 豊成《とよなり》
      - 仲麻呂《なかまろ》（**仲丸**《なかまる》）
    - 房前《ふささき》
    - 光明皇后《こうみょうこうごう》（**安宿**《あすかべ》・光明子《こうみょうし》）（聖武天皇の皇后）

【天皇家《てんのうけ》】

- 舒明《じょめい》天皇 ＝ 皇極《こうぎょく》天皇（兄弟：孝徳《こうとく》天皇）
  - 天智《てんじ》天皇（中大兄皇子《なかのおおえのおうじ》）
    - 持統《じとう》天皇（天武天皇の皇后）
  - 天武《てんむ》天皇
    - 高市皇子《たけち》
      - 長屋王《ながやおう》
    - 草壁皇子《くさかべ》
      - 文武《もんむ》天皇
        - 聖武《しょうむ》天皇
          - 孝謙《こうけん》天皇
    - **舎人親王**《とねりしんのう》

◉ 著者

牧野 礼（まきの あや）

愛知県生まれ。小学生のころより小説を書きはじめる。南山大学人文学部日本文化学科卒業。『滝まくらの君』（岩崎書店）で第６回ジュニア冒険小説大賞を受賞、デビュー。ほかの作品に『夢見の猫 風の犬宮』（くもん出版）、『ユニコーンの乙女』シリーズ（講談社青い鳥文庫）がある。

◉ 画家

七原しえ（ななはら しえ）

青森出身のイラストレーター。書籍装画・TCG・ソーシャルゲーム中心に活動中。おもな経歴に、『戦国無双５』（株式会社コーエーテクモゲームス）、『ＦＧＯ』（株式会社ラセングル）、『マジック：ザ・ギャザリング』（Wizards of the Coast LLC）、『逃げ上手の若君』（松井優征／著　集英社）カラー装画など、多数。

◉ 解説

寺崎保広（てらさき やすひろ）

1955年山形県生まれ。東北大学大学院修了。奈良国立文化財研究所・奈良大学を経て、現在、奈良大学名誉教授。専門は日本古代史。特に奈良時代史や木簡の研究など。著書は、『長屋王』『若い人に語る奈良時代の歴史』（以上、吉川弘文館）『藤原京の形成』『聖武天皇-帝王としての自覚と苦悩』（以上、山川出版社）など。

◉ 装丁・デザイン

中村デザイン

六四五年への過去わたり

平城の氷と飛鳥の炎

2022年6月11日　初版第1刷発行

著　者　**牧野 礼**

発行人　**志村直人**

発行所　**株式会社くもん出版**

〒141-8488　東京都品川区東五反田２－10－２　東五反田スクエア11F

電話　03-6836-0301（代表）

03-6836-0317（編集直通）

03-6836-0305（営業直通）

ホームページアドレス　https://www.kumonshuppan.com/

印刷　三美印刷株式会社

NDC913・くもん出版・272P・20cm・2022年・ISBN978-4-7743-3294-9

CD34631